Préface de Michel Roy

Comme on fait son lead,
ON ÉCRIT

Antoine Char

2002

 Presses de l'Université du Québec
Le Delta I, 2875, boul. Laurier, bur. 450
Sainte-Foy (Québec) Canada   G1V 2M2

Données de catalogage avant publication (Canada)

Char, Antoine, 1950-

    Comme on fait son lead, on écrit

    (Collection Communication et relations publiques)

    ISBN 2-7605-1155-3

    1. Journaux – Amorces. 2. Ouverture (Rhétorique). 3. Journalisme – Art d'écrire.
I. Titre. II. Collection.

PN4775.C48 2002   808'.06607   C2002-941563-2

Nous reconnaissons l'aide financière du gouvernement du Canada
par l'entremise du Programme d'aide au développement
de l'industrie de l'édition (PADIÉ) pour nos activités d'édition.

Composition typographique : CARACTÉRA PRODUCTION GRAPHIQUE INC.

Couverture : RICHARD HODGSON

1 2 3 4 5 6 7 8 9 PUQ 2002 9 8 7 6 5 4 3 2 **1**

Dépôt légal – 4e trimestre 2002
Bibliothèque nationale du Québec / Bibliothèque nationale du Canada
Imprimé au Canada

Comme on fait son lead,
ON ÉCRIT

PRESSES DE L'UNIVERSITÉ DU QUÉBEC
Le Delta I, 2875, boulevard Laurier, bureau 450
Sainte-Foy (Québec) G1V 2M2
Téléphone : (418) 657-4399 • Télécopieur : (418) 657-2096
Courriel : puq@puq.uquebec.ca • Internet : www.puq.uquebec.ca

Distribution :

CANADA et autres pays
DISTRIBUTION DE LIVRES UNIVERS S.E.N.C.
845, rue Marie-Victorin, Saint-Nicolas (Québec) G7A 3S8
Téléphone : (418) 831-7474 / 1-800-859-7474 • Télécopieur : (418) 831-4021

FRANCE
DIFFUSION DE L'ÉDITION QUÉBÉCOISE
30, rue Gay-Lussac, 75005 Paris, France
Téléphone : 33 1 43 54 49 02
Télécopieur : 33 1 43 54 39 15

SUISSE
SERVIDIS SA
5, rue des Chaudronniers, CH-1211 Genève 3, Suisse
Téléphone : 022 960 95 25
Télécopieur : 022 776 35 27

À Isabelle

Le lecteur se tue à abréger ce que l'auteur s'est tué à allonger.
MONTESQUIEU

Écrire, c'est prévoir.
PAUL VALÉRY

Qui ne sut se borner ne sut jamais écrire.
NICOLAS BOILEAU

Antoine Char appartient à cette race de journalistes qui ont affronté tous les défis. Qu'il a tous relevés. Modeste et discret, il en parle peu. Il faut l'interroger longuement pour apprendre qu'il est né à Dakar en 1950, qu'il a voyagé en Afrique, notamment en Côte d'Ivoire en 1965, qu'il a fait une partie de ses études dans un pensionnat de Marseille au début des années 1960. Qu'il est arrivé au Canada à 19 ans en 1969. Début d'un temps nouveau...

Aussitôt, il se met au travail. Petits boulots d'abord. Puis, en 1972, le voilà pigiste à la prestigieuse revue *Maintenant*. L'année suivante, il passe à la section internationale du quotidien *Le Jour* qui l'envoie couvrir la première phase de la guerre civile au Liban en 1975. Quelques mois plus tard, il va suivre pour *Le Jour* le premier ministre Trudeau dans sa tournée latino-américaine et rendre compte ensuite des élections législatives portugaises un an après la révolution des Œillets.

Le Jour tombe et notre collègue, pour qui le Québec n'a plus de secret, fait son entrée au bureau montréalais de l'Agence France-Presse où il reste de 1976 à 1978. Il s'y attache et y reviendra en 1980. Mais entre-temps, de 1979 à 1981, il sera surnuméraire à la Presse Canadienne. Cette prédilection pour le travail d'agencier devient bientôt une vocation. Il assume en effet, de 1979 à 1989, la direction du bureau canadien d'Inter Press Service (IPS), la sixième des grandes agences internationales. Celle-ci, basée à Rome, compte 66 bureaux sur la planète et met l'accent sur les problèmes du tiers-monde. C'est un aspect de l'actualité internationale auquel Char restera toujours attentif.

Il sera ensuite, ou simultanément, pigiste au (défunt) cahier *Perspectives* de *La Presse*, à *Sélections du Reader's Digest*, à *La Presse-Plus*, à *L'actualité* et à *Femme-Plus*. Il est surnuméraire au *Devoir* depuis 1993 comme préposé au pupitre et chroniqueur à la section internationale. Avec la limpidité d'un « pro », il y analyse à la « une » un dossier de l'actualité étrangère.

Comme beaucoup de journalistes, Antoine Char éprouve une attirance pour l'enseignement, comme en témoignent les sept chapitres de ce livre. Il est donc, à partir de 1985, chargé de cours puis professeur au Département de communications de l'Université du Québec à

Montréal et, de 1995 à 2001, responsable du programme de journalisme de cette institution. Il y obtient un baccalauréat en science politique en 1972 et une maîtrise en communication en 1992. Il a aussi rédigé _La guerre mondiale de l'information_ et collaboré à _La communication en temps de crise_, deux ouvrages publiés aux Presses de l'Université du Québec.

Comme tous les grands du journalisme, notre confrère n'aime pas tellement qu'on parle de lui, de sa vie, de son métier. Sa capacité de travail que lui envient ses collègues et ses étudiants est sans limites. D'où ce constant souci d'exactitude et de transparence qu'on trouve dans ses articles d'analyse comme dans ses reportages. Même épuisé après de longues sessions à la rédaction, il se refuse toujours à bâcler un texte, à sécher un cours.

Un journaliste qui parvient, comme Antoine Char, à passer près de 15 ans dans des agences de presse sans perdre la tête ou la vie, est d'ordinaire promis à une longue carrière. La cadence trépidante du travail dans ces hauts lieux de l'information exige en effet des rédacteurs et des reporters, non seulement une concentration soutenue malgré la rumeur des machines et l'agitation des équipes, mais aussi la rapidité d'exécution et un sens aigu de la précision. La passion du métier, la rigueur professionnelle et une forte résistance physique s'imposent pour accomplir les missions plus exigeantes. Un reporter qui ne craint pas les vents du large n'est jamais sûr de l'heure à laquelle il va rentrer à la maison.

À ceux qui se portent dans les pays où sévissent les combats armés, la parfaite maîtrise de soi n'est plus un vœu, mais une obligation. De même, en pleine crise politique, chez soi ou à l'étranger, l'aptitude à transmettre sans délai au siège de l'agence l'information recueillie pêle-mêle devient indispensable. Sur le terrain, le reporter doit aussi apprendre à distinguer l'accessoire de l'essentiel, à se méfier enfin des francs-tireurs qui ont souvent la tentation (ou l'ordre) d'éliminer ces gêneurs que sont les correspondants.

C'est pourquoi, dans ce métier, quand une situation se complique et que la sécurité paraît incertaine, on reconnaît les actifs et les passifs, les forts et les faibles, les créateurs et les résistants. Je n'hésite pas à ranger Antoine parmi les dynamiques et les inventifs. S'il ne sait pas, il va aux sources. Si les sources restent silencieuses, il insiste, enfonce, fait sauter les verrous du silence. Il sait que la quête de l'information, épuisante et laborieuse, surtout en situation de conflit ou de crise, exige du reporter intuition, imagination et audace. Antoine Char a mené sur plusieurs fronts cette incessante bataille de l'information.

On observe chez lui cette qualité que possèdent plusieurs des meilleurs journalistes : ils ne sont jamais insensibles à la misère des hommes, aux inégalités de ce monde dont souffrent, depuis leur naissance, d'innombrables enfants d'Asie, d'Amérique latine et d'Afrique, à la pauvreté insoutenable des démunis, à l'injustice, à l'exaspération des révoltés. Ils savent surtout y faire référence dans leurs comptes rendus, avec respect et compassion. Ils ont une culture et une mémoire. Et c'était sans doute pour voir de plus près deux des pays les plus cruellement éprouvés par la guerre et le génocide que notre collègue obtenait en 2000 une bourse de la fondation Asie-Pacifique pour faire des reportages au Vietnam et au Cambodge.

*
**

L'art du lead, le vertige de la page blanche, l'épithète perdue. N'en parlez pas trop aux journalistes d'autrefois, aux roquentins des guerres oubliées, aux vétérans de 39-45, car si vous ouvrez la boîte de Pandore, ils vous raconteront jusqu'à épuisement l'angoisse qui les habita quand, dans une affaire exceptionnelle, ils ont mis beaucoup d'efforts à sculpter un préambule, un chapeau, un lead qu'ils voulaient parfait, concret, étonnant, stupéfiant. (« Était-ce à Caen ? Dans la banlieue parisienne ? Je ne sais plus. J'y suis : ce devait être à Taejon pendant la guerre de Corée ! »). Ils ont tous eu, un moment ou l'autre, leur part d'angoisse en rédigeant un préambule, un chapeau, un lead qu'ils voulaient saisissant... la locomotive qui entraîne le lecteur malgré lui jusqu'au bout de l'article...

Mais, dans ce livre que vous ouvrez, on notera que les références d'Antoine Char sont irrécusables. Dès le départ, il prend exemple sur Jean de la Bruyère, et passe plus loin à Amenhotep, le plus célèbre des scribes égyptiens qui, comme les reporters d'aujourd'hui, « savait distinguer l'essentiel de l'accessoire », mais reviendra à Aristote qui pensait que « le commencement est la partie la plus importante du travail ». Antoine s'en remet volontiers à John McPhee du *New Yorker* pour qui « la première partie, le lead, le commencement, est la plus difficile de toutes à écrire ». Mais « si vous avez écrit votre lead, disait encore ce journaliste américain, vous avez 90 % de l'histoire ».

Il faut savoir que ce manuel de 200 pages, assorti de 92 exercices, s'est enrichi de l'apport de 23 journalistes d'ici et d'ailleurs qui ont bien voulu envoyer à l'auteur leurs meilleurs leads, qu'on appelle aussi, suivant les traditions du métier en divers pays, des préambules, des entrées en matière, des attaques, des amorces.

*
**

Au-delà de ses expériences variées dans les agences de presse, les quotidiens, les revues, le reportage international et les salles de cours, il fallait à Antoine Char une riche culture du métier et une parfaite maîtrise de l'écriture de presse pour construire ce livre qui apprend aux aspirants reporters la technique et l'art du lead, qui apporte en outre au journalisme d'ici un instrument remarquablement précis d'apprentissage et de formation.

Michel Roy
Président du Conseil de presse du Québec

CHAPITRE 7

Tchouang-tseu mit dix ans à dessiner le crabe que lui récla-
mait l'empereur. Quand le deadline (traduisez la ligne de la
mort!) arriva, il prit son pinceau, le trempa dans l'encre (de
Chine, bien sûr!) et d'un trait, d'un seul, dessina le plus
beau des crustacés jamais vu dans l'Empire du Milieu.

Cela se passait il y a longtemps, dans un monde où
le plaisir de la lenteur était encore une vertu et où l'on pre-
nait tout son temps pour contempler les fenêtres du ciel.
Aujourd'hui, Tchouang-tseu serait «remercié» au nom de la
«rationalité» économique. Et pourtant...

Il y a dans l'attitude du peintre et philosophe chinois
– qui insista toute sa vie sur la relativité de toute chose – un
«syndrome de la page blanche», un «blanc magique» un
«degré zéro d'écriture» que nous éprouvons tous à divers
moments. Nous sommes tous des Tchouang-tseu dans nos
lenteurs quotidiennes et notre civilisation du va-vite.

Pour éviter de foncer tête baissée dans une communication parasitaire, il existe un outil journalistique à nul
autre pareil: le lead. Certains l'appellent «amorce», d'autres
«attaque»... Peu importe. Ce qui compte, c'est ce premier
paragraphe magique qui fait qu'on nous lit ou non jusqu'à
la fin.

La réalité est multiple, plurielle, équivoque, ambi-
guë, et il est bon de s'accrocher (parfois!) à des certitudes.
Le lead est notre unique certitude de bien réussir notre
communication dans un monde taraudé par l'incertitude,
qui ne sait plus où se trouve la réalité. Il nous permet de
bien analyser une situation et de synthétiser n'importe
quel problème.

Il nous permet surtout de restituer le question-
nement.

Comme on fait son lead, on couche nos mots sur le
papier: nous ne ferons que ça dans ce livre qui, s'il n'était
pas pratique, concret, vivant, perdrait alors son pari de nous
libérer des pesanteurs de l'écriture. La seule ambition de ce
manuel se résume à cette petite phrase de Jules Renard: «Il
y a les bons écrivains et les grands. Soyons les bons.»

1

L'HAMEÇON PSYCHOLOGIQUE

L'Iowa est un petit État qui fournit à la plus grande puissance agricole du monde le dixième de ses besoins alimentaires. Si les céréales poussent bien, les écrivains en herbe aussi. À côté de ses champs de maïs, l'Iowa compte en effet des ateliers d'écriture d'où est notamment sorti John Irving (*Le monde selon Garp, L'hôtel New Hamsphire, L'œuvre de Dieu, la part du Diable...*).

L'Université d'Iowa City, petite ville de 50 000 habitants, a été la première, en 1945, à offrir un atelier d'écriture à ses étudiants. Il existe aujourd'hui 197 universités aux États-Unis pour devenir écrivain.

Qu'apprend-on à ceux qui ont maille à partir avec les mots ?

« Les histoires bien agencées ne doivent ni commencer par hasard ni finir par hasard » et surtout doivent avoir « un début, un milieu et une fin ». Les futurs écrivains suivent ces petits conseils d'Aristote qui, au chapitre sept de sa *Poétique*, a tout dit sur l'art de raconter des histoires.

On le voit, deux mille ans plus tard, rien n'a changé. « Tout est dit, et l'on vient trop tard, depuis plus de sept mille ans qu'il y a des hommes, et qui pensent. » Jean de La Bruyère, moraliste et écrivain français du XVIIe siècle, mort d'apoplexie furieuse, a raison certes, mais toutes les façons de dire ne sont pas épuisées.

Heureusement. La souffrance, l'amour, la joie, la mort, la peur, l'ambition, la haine... Il faudra encore tout redire, après Racine, Corneille, Shakespeare... et la Bible toujours aussi vendue parce que le « livre des livres » est avant tout un joli morceau de narrativité.

« Au commencement, était le Verbe. » C'est court et ça en dit long !

Il faudra tout redire en suivant ce vieil axiome militaire : « Pour mener à bien le combat que tu entreprends, la première chose est de savoir le but que tu poursuis. »

Le lead permet de fixer son but, de tracer le sillon de son texte, de développer une argumentation, de parler à la raison autant qu'au cœur. Si une langue recèle en elle une vision du monde qu'adoptent à tout coup ceux qui la parlent, encore faut-il bien présenter les faits et surtout les unifier pour comprendre. Voilà une des premières fonctions du lead : cimenter les faits. Dans un monde qui semble avoir tourné le dos à « l'école du doute », le lead permet aussi de répondre à toutes les questions.

Une bonne façon de cerner un lead consiste à se poser ces deux questions simples et directes : « Qui a fait quoi ? », « Qu'est-il arrivé exactement ? » Ce que vous écrivez doit alors ressembler à ce que vous diriez avant toute autre chose au téléphone, sachant que la ligne risque d'être coupée d'une seconde à l'autre. Il faut tout dire sur-le-champ.

Retenue d'une réalité ➡ lead

Faisons un premier essai. Vous venez d'assister à une manifestation au centre-ville. De retour chez vous, vous racontez l'événement. Il y a fort à parier que vous allez commencer par les faits les plus importants, de manière à retenir l'attention de votre interlocuteur.

Vous lui direz d'abord ceci :

— Y a plus de vingt mille personnes qui ont manifesté au centre-ville, lundi matin. *(vingt mille personnes c'est important ; c'est ce qui donne une place dans l'échelle de valeur à la manifestation en question.)*

Votre interlocuteur voudra savoir pourquoi on manifestait. *(Le « pourquoi » est toujours crucial dans n'importe quelle « manif ».)*

— Pour avoir le droit de fumer la pipe et le cigare dans tous les lieux publics.

— Ah bon ! Au nom de quoi ?

— De la Charte des droits et libertés.

— Que scandaient-ils comme slogans ? *(Toute « manif » qui se respecte doit avoir un « cri de guerre ».)*

— « Arrêtez de nous casser la pipe sinon nous allons vous passer à tabac. »

Concocter un bon lead, c'est écrire dans un style clair et à l'aide de mots précis. Ce que vous venez de raconter de vive voix donne alors ceci :

Plus de 20 000 personnes ont manifesté lundi matin au centre-ville pour avoir le droit de fumer la pipe et le cigare dans tous les lieux publics, au nom de la Charte des droits et libertés, en scandant : « Arrêtez de nous casser la pipe sinon nous allons vous passer à tabac ».

Tous les leads de ce manuel qui n'ont pas de source sortent directement de l'imagination (à la dérive) de l'auteur.

À votre tour de jouer, avec ce premier exercice :

Exercice 1

> *Vous venez d'assister à une scène de ménage chez un couple de Mongoriens. De retour chez vous, vous racontez la scène :*
> *— Et alors ?*
> *— Eh bien tu ne le croiras pas mais elle a été condamnée !*
> *— Condamnée à quoi ?*
> *— À un maximum d'une semaine de prison sans compter qu'elle devra payer une amende de mille sous.*
> *— Pourquoi ? Pour violence conjugale ?*
> *— Non. Non. La Mongorienne a été reconnue coupable mardi matin d'avoir infligé au caméléon des souffrances inutiles !*

Le corrigé se trouve à la fin du manuel. Toutes les corrections sont numérotées. Chacun des numéros correspond à celui qui se trouve au début de chaque exercice. Les corrigés ne doivent en aucun cas être considérés comme des modèles. Pour chaque correction, il en existe une, dix, cent autres.

1.1. INTRODUCTION, DÉVELOPPEMENT, CONCLUSION

Le lead n'est pas seulement une introduction. Il doit être introduction, développement et conclusion. Ce n'est bien sûr pas toujours facile de tout dire d'un seul trait en quelques mots. Le lead a un rôle de *stimulus*, il doit susciter l'intérêt du lecteur. C'est un « hameçon psychologique » annonçant clairement le sujet. C'est là une question d'honnêteté à l'égard du lecteur (ô combien paresseux !) qui peut sur-le-champ renoncer à sa lecture (souvent panoramique) si le sujet ne l'intéresse pas. Il faut donc harponner le lecteur dès le départ. Le férer gentiment pour qu'il morde à votre histoire et plonge dans votre récit. Tout se joue en quelques secondes.

Un exemple ?

> *Dix coups d'État, cinq contre coups, quatre révolutions de palais et une guerre civile trentenaire faisant en moyenne trois mille morts par mois : depuis son indépendance de la Grande-Bretagne en 1961, la Sierra Meone semble avoir signé un pacte avec le diable.*

Vous l'avez deviné, ce petit pays africain est fictif mais le lead a (peut-être) retenu votre attention.

En voici quelques autres :

> *Le lion dort toujours avec ses dents, dit un proverbe bantou, mais depuis qu'il a été capturé et placé dans une cage, Antonio Bumderro les a toutes perdues lui, le grand trafiquant qui mordait férocement dans l'économie au noir de la Koloumbie.* **(Il est bon d'éviter le plus possible les pronoms relatifs. Nous chercherons d'ailleurs à les supprimer dans certains exercices du chapitre 4.)**

> *Avant de passer l'arme à gauche, Jimmy White, le blanchisseur de sa majesté Antoinette IX, avait contracté une sale habitude : il mangeait du savon pour nettoyer son système digestif.*

> *Une centenaire a avalé son dentier et est morte de frayeur en voyant son arrière-petit-fils entrer dans sa chambre avec les cheveux teints en rouge et bleu.*

Le lead doit donner envie de lire.

1.2. LA CLÉ DE DÉMARRAGE

Tête de pont de votre pensée, rampe de lancement de votre trame événementielle, de votre imagination, le lead est votre clé de démarrage et canalise votre écriture. Une fois bien structuré avec ses six questions (qui, quoi, quand – rappelez-vous ceci : les trois q sont souvent les plus importants – où, comment, pourquoi), il vous permet aussi d'écrire plus vite que votre ombre tout en vous donnant une rigueur méthodologique.

Ces questions sont en anglais, les 5 W (*Who, What, When, Where, Why*) et le H de *How*.

Elles sont vieilles comme l'Empire romain. Fabius Quintilien les avait déjà énumérées il y a vingt siècles dans son *Institution oratoire : Quis ?* (Qui ?) *Quid ?* (Quoi ?) *Quando ?* (Quand ?) *Ubi ?* (Où ?) *Quomodo ?* (Comment ?) *Cur ?* (Pourquoi ?)

Il avait même une septième question : *Quibus auxilliis ?* (Par quel moyen ?) Toutes ces questions peuvent être complétées par deux sous-questions : combien et pour quoi ? Mais ne nous éparpillons pas trop et revenons à nos six questions en les identifiant.

Le qui, c'est bien sûr le sujet. Le quoi ? C'est l'objet ! Inutile de dire que le quand, c'est le moment et le où, le lieu. Quant au comment et au pourquoi (questions existentielles s'il en est), ce sont respectivement la manière et le but.

Sujet, objet, moment, lieu, manière, but... de l'action !

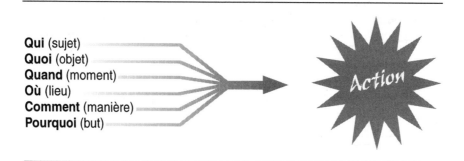

Qui (sujet)
Quoi (objet)
Quand (moment)
Où (lieu)
Comment (manière)
Pourquoi (but)

Action

Un illustre inconnu (qu'il s'identifie enfin !) nous a légué ceci : « L'immobile se disperse. Le mouvement demeure. » En effet, que vous rapportiez des faits réels ou fictifs, que vous écriviez une lettre à votre patron (qu'allez-vous encore lui demander ?), à votre grand amour ou à votre belle-mère (c'est rarement la même chose...), tout doit être structuré de manière à avancer, à ne pas faire du surplace en écrivant. Il y a dans toute bonne lecture un désir de la page tournée.

« Alexandre Dumas fait-il penser ? Rarement. Rêver ? Jamais. Tourner les pages ? Toujours ! » disait-on lorsque les aventures de ses *Trois Mousquetaires* sortaient au galop des imprimeries du XIXᵉ siècle.

Soyez l'« Alexandre Dumas » du cyberespace, ne trottez pas avec votre écriture, fouettez-la avec une cavalcade de mots bien structurés, donc bien choisis. Le lead ne doit pas être un coup d'épée dans l'eau. Si vous ne faites pas mouche à chaque mot, vous vous escrimerez en vain sans mettre dans le mille.

1.3. MAXIMUM D'INFOS, MINIMUM DE MOTS

N'oubliez pas que les faits cueillis dans les vastes champs de l'information ne sont jamais nus, passifs. Choisissez les plus significatifs afin de pouvoir donner dans votre lead (et dans le corps de votre texte) le maximum d'informations, en (si possible) un minimum de mots. Dites plus avec moins.

Prenons le fait divers suivant:

Trois Mongoriens nageaient dans le fleuve Amour lorsque l'un d'entre eux coula: les deux autres plongèrent à sa recherche et le ramenèrent à la rive, mais mort[1].

Il y a dans ce lead un nœud déclencheur (*l'un d'entre eux coula*), une action (*les deux autres plongèrent*), un dénouement (*ramenèrent à la rive*) et une situation finale (*mais mort*).

Voilà, dans le meilleur des cas, ce que doit être un lead. Un tout complet.

La présentation des faits s'effectue avec le «qui» et le «quoi»; la description des faits, avec le «où», le «quand» et le «comment»; et la justification des faits, avec le «pourquoi».

La finalité de tout écrit est de fournir une information maximale en tournant le dos aux redondances, parasites de tout texte.

Ne faites pas comme ce guide de voyages consacré à l'Argentine qui donnait, il y a bien des années de cela, le conseil suivant à ses lectrices pour s'habiller en vue des soirées chic de Buenos Aires:

Vous mettez vêtements, maquillage et bijoux comme vous en avez l'habitude, puis vous en rajoutez encore. Quand vous vous sentez trop chargée, c'est bon, vous êtes dans la note.   (Libération, 24-25 avril 1999)

Voici un exemple de lead trop chargé:

Dans les premiers jours de l'an VII, au commencement de vendémiaire, ou, pour se conformer au calendrier actuel, vers la fin du mois de septembre 1799, une centaine de paysans et un assez grand nombre de bourgeois, partis le matin de Fougères pour se rendre à Mayenne, gravissaient la montagne de la Pèlerine, située à mi-chemin environ de Fougères à Ernée, petite ville où les voyageurs ont coutume de se reposer.
(Honoré de Balzac, Les Chouans, chapitre premier)

---

1. Adapté de *L'analyse des récits*, de Jean-Michel Adam et Françoise Revaz, Paris, Seuil, 1996.

Il ne nous viendrait pas à l'idée de corriger l'honorable Honoré qui traitait les journalistes d'«écrivailleurs ratés», de «plumitifs impuissants» et dont les journaux ont fêté en grandes pompes en 1999 le bicentenaire de naissance.

Nous reviendrons sur les leads chargés au chapitre 4. En attendant, choisissons un lead court cette fois du grand pourfendeur des journalistes:

> *Vers le milieu du mois de juillet de l'année 1838, une de ces voitures nouvellement mises en circulation sur les places de Paris et nommées des milords cheminait, rue de l'Université, portant un gros homme de taille moyenne, en uniforme de capitaine de la garde nationale.*
> (*La cousine Bette*, première partie)

Il y a là une économie de mots qui n'enlève rien aux menus détails. Un autre lead très court de Balzac?

> *Vers la fin de l'année 1612, par une froide matinée de décembre, un jeune homme dont le vêtement était de très mince apparence, se promenait devant la porte d'une maison située rue des Grands-Augustins, à Paris.*
> (*Le Chef-d'œuvre inconnu*)

Allons à présent voir du côté de Guy de Maupassant:

> *«La comtesse, les jambes en l'air sur le dossier d'une chaise, était plus partie encore que son amie.»*
> (*Gil Blas*, Joseph)

Pour écrire de façon efficace, donc mieux, il faut savoir faire ressortir les questions centrales des questions secondaires. La question centrale présente un des aspects importants d'un problème. La question «pourquoi» vous permet de cerner votre question centrale.

> *Donald Grump, collectionneur de ce qu'il appelle humblement «les plus belles femmes du monde», a horreur de serrer des mains par crainte d'attraper des microbes **(pourquoi)**.*

La question secondaire complète, concrétise la question centrale qui doit être cruciale par rapport au sujet choisi. La question «comment» vous permet de cerner votre question secondaire.

> *Refusant de serrer des mains par crainte d'attraper des microbes,*
> *Donald Grump, collectionneur de ce qu'il appelle humblement « les plus*
> *belles femmes du monde », a décidé de surmonter ce handicap en*
> *embrassant des bébés (comment).*

Le lead vous évite de tourner autour du pot. En faisant ressortir
la question centrale il vous permet de garder le cap pour arriver à
bon port.

1.4. TROP OU PAS ASSEZ

Cette maîtrise de l'écriture journalistique aura fatalement des retom-
bées sur tous vos écrits où vous êtes constamment confronté au
dilemme suivant : trop en dire ou ne pas en dire assez.

« Je n'aurais écrit aucun de mes romans si je n'avais bien
possédé les techniques du journalisme », aimait répéter Gabriel Garcia
Marquez, le Prix Nobel de littérature 1982 qui déteste mettre deux
fois le même adjectif dans un roman et qui nous a tant éblouis avec
Cent ans de solitude, *L'automne du patriarche* et *Chronique d'une mort*
annoncée, notamment.

Même Jean-Paul Sartre qui n'a pourtant jamais vraiment été un
« écrivain raté » (c'est-à-dire un journaliste !) a finalement reconnu que
le « journalisme est devenu l'écriture, la littérature de notre temps ».

Louis Timbal-Duclaux écrit ceci dans *L'expression écrite, écrire*
pour communiquer :

> Pour écrire mieux, le journalisme est une école incomparable ;
> beaucoup de nos grands auteurs passés ou présents ont été
> journalistes ; certains le sont restés toute leur vie : Mauriac,
> Kessel, par exemple, qui devinrent Académiciens.
>
> Le journalisme apprend à trouver l'information, à distinguer
> l'important de l'accessoire, à s'exprimer avec précision, à
> acquérir un style. Cette maîtrise rejaillira aussitôt sur vos écrits
> professionnels : rapports, comptes rendus, lettres, notes, com-
> munications… Celui qui sait écrire est apprécié de ses chefs qui
> peuvent lui confier la rédaction de documents qu'ils signeront.
> Certaines grandes carrières n'ont pas d'autre origine.
>
> (Paris, ESF Éditeur, 1984)

Le journalisme a mauvaise presse à cause de ses nombreuses
dérives déontologiques, mais sa méthode (à la jonction de la recherche
scientifique et de la séduction) reste la meilleure lorsqu'il s'agit de

faire ressortir l'essentiel à la vitesse de l'éclair. Une méthode qui ne doit pas forcément recourir à un style télégraphique qui est bien souvent aussi triste qu'une porte de prison. L'écriture journalistique sait aussi miser, lorsqu'il le faut, sur le pouvoir incantatoire des mots (voir chapitre 6) pour mieux impressionner le subconscient du lecteur et mettre à l'aise son cerveau.

> *La piraterie a le vent en poupe avec ses navires de haut tonnage atta-*
> *qués, ses cargaisons volées, ses équipages jetés par-dessus bord : à*
> *l'heure de la mondialisation, les pirates écument tous les océans à la*
> *barbe des experts maritimes du monde entier.*

Voilà un lead qui a de bons atouts en main pour plonger le lecteur dans ce qui suit et que nous appelons « sublead » :

> *Il y a belle lurette que les lance-grenades ont remplacé les perroquets*
> *sur les épaules des boucaniers qui se déplacent en vedettes rapides et*
> *bondissent à l'abordage en remontant le navire par l'arrière à l'aide de*
> *grappins et de cordes.*

Chapeau ! Avec ce lead et ce sublead, vous permettez au lecteur de se la couler douce jusqu'à la fin du texte. Faisons une petite escale ici en rappelant qu'un « chapeau » n'est pas un lead. Dans le monde journalistique, le chapeau (que certains écrivent « chapô ») est le préambule (en caractères gras souvent) qui coiffe l'article. Ce court paragraphe est indépendant du titre et du texte. Il peut introduire le texte et le résumer en offrant, par exemple, un court historique (du background, dit-on en journalisme) du sujet traité. Il est à mi-chemin entre le résumé et le lead. C'est un genre que l'on retrouve essentiellement dans les quotidiens français.

Dans certains journaux, le lead est imprimé en gras. Il ne devient pas un chapeau pour autant. C'est là un artifice typogra-phique comme il y en a de plus en plus dans la presse écrite. Il faut attirer l'œil. Un journal n'est-il pas vu avant d'être lu ?

1.5. UNIR LE LECTEUR

Un bon lead doit, le plus souvent possible, être construit avec des mots qui font image, des mots qui matérialisent votre pensée. Il doit unir le lecteur sur une base affective et intellectuelle en lui faisant ressentir des émotions et pas seulement des faits. Ou alors lui rassembler des faits de façon à lui faire ressentir des émotions. Le lecteur doit, chaque fois que c'est nécessaire, être acteur de l'événement plutôt que récepteur passif de l'information qui lui est offerte. Il sera ainsi « dans » la scène et non pas « à côté ».

Choisissez entre les deux phrases :

> « *Lorsque nous quittons un lieu ou une personne en pensant que nous ne le reverrons peut-être jamais, nous éprouvons le même sentiment qu'à l'occasion du décès d'un être cher.* »

ou

> « *Partir, c'est mourir un peu.* »

Merci Lamartine ! Écrire, c'est, malheureusement, s'imposer à l'autre. Imposer son style comme l'a fait le grand poète français qui ne serait cependant pas l'auteur du merveilleux « Ô temps, suspends ton vol... ». Ces mots, il les aurait « récupérés » (soyons gentil avec l'auteur de *Méditations poétiques*) d'un obscur écrivain du XVIIIe siècle, Antoine-Léonard Thomas.

« Mettez les plus belles fraises sur le dessus du panier », conseillait à ses reporters Françoise Giroud, alors qu'elle était rédactrice en chef de *L'Express*. Mettez donc le « paquet » en peaufinant chaque mot de votre lead. Pourquoi mettre le paquet dans le premier paragraphe ? Tout simplement parce que dans le second... il est trop tard. Un mauvais lead signe l'arrêt de mort d'un texte.

Récapitulons le tout en lisant ces quelques lignes de l'académicien et journaliste Jean d'Ormesson :

> Aimez-vous autant que moi les débuts de roman ? « Le 15 mai 1796, le général Bonaparte fit son entrée dans Milan à la tête de cette jeune armée qui venait de passer le pont de Lodi, et d'apprendre au monde qu'après tant de siècles César et Alexandre avaient un successeur... » Ou : « Le jour tombait depuis quelques instants dans les rues de la petite ville de... » Ou : « La première fois qu'Aurélien rencontra Bérénice, il la trouva franchement laide... » Ou : « J'aimais éperdument la comtesse de... ; j'avais vingt ans, et j'étais ingénu ; elle me trompa, je me fâchai, elle me quitta. » On peut presque fermer le livre : tout est dit. Tout le roman, toute la journée, toute la vie à venir est déjà dans son début. Et ce début n'a de sens que parce qu'il y aura une suite. Et parce qu'il y aura une fin. Le matin n'est si beau que parce qu'il y a un soir.
>
> (*Histoire du Juif errant*, Paris, Gallimard, 1990)

1.6. TRADUCTION S'IL VOUS PLAÎT![2]

Si un bon lead doit être un joli bouquet et dégager une chaleur communicative, il doit néanmoins rester simple, éviter d'être pompeux.

> ✗ *Par le présent acte, je vous donne en tout et en parties mon bien, cette mangue, et vous transporte mes intérêts en celle-ci, droit, titres, possessions et jouissance sur et dans ladite mangue incluant ses peau, jus et noyau et tous les droits et avantages inhérents avec plein pouvoir de mordre, couper et même de manger!*
>
> ✔ *Prenez cette mangue!*

> ✗ *Un félidé digitigrade préalablement victime d'une aspersion d'eau portée à un haut degré de température ne cessera d'éprouver la plus vive phobie rémanente à l'égard d'un liquide de même nature ramené à un niveau thermique inférieur.*

Pardon? Traduction s'il vous plaît! Sven Sainderichin nous la donne dans *Écrire pour être lu* (Paris, Entreprise moderne d'édition, 1975):

✔ *Chat échaudé craint l'eau froide.*

Oui, dirait le successeur de Mao, le «petit timonier» Deng Xiaoping – père de la Chine industrielle, mort le 19 février 1997 –, qu'importe la couleur du chat, pourvu qu'il attrape la souris. Qu'importe votre lead (vous en trouverez une vingtaine au chapitre 3), pourvu qu'il harponne votre lecteur.

L'essentiel est d'aller toujours droit au but et surtout de ne pas succomber à l'air du temps, c'est-à-dire au langage abscons, opaque, «sémantiquement correct», donc «politiquement correct». Les jargons enrobés de mélasse n'intéressent que ceux qui les confectionnent.

> ✗ *Il convient de se rappeler que l'interprétation du niveau de l'indice du niveau de vie est actuellement difficile en raison du doute qui plane sur la correction des variations économiques en cette période de récession.*

Il serait mieux d'écrire:

> ✔ *L'indice du niveau de vie est difficile à interpréter à cause de l'actuelle récession économique.*

---

2. Dans ce manuel, le ✗ symbolise le mauvais exemple, le ✔ marque le bon choix.

À vous de traduire ce lead qui devient votre deuxième exercice :

Exercice 2

> *Les statistiques qui informent de l'évolution globale du chômage indiquent un plafonnement des effectifs en quête d'emploi à un niveau élevé, mais concrètement de nombreuses entreprises éprouvent des difficultés pratiquement inchangées pour recruter la main- d'œuvre dont elles ont besoin ; ceci se manifeste d'ailleurs par l'abon- dance des offres d'emploi aussi bien dans les bureaux officiels que dans les quotidiens, et le recrutement des effectifs indispensables entraîne encore des surenchères salariales.*
>
> (Extrait du livre de Sven Sainderichin *Écrire pour être lu*)

Parfois, il est impossible de « traduire » l'embrouillamini de mots qui s'étalent sur notre pain quotidien médiatique :

> *Ni l'interprétation homogénéisante d'un devenir-monde de l'Occident ni l'interprétation dissolvante du « choc des civilisations » ne permettent de penser l'exigence d'universalité apte à produire des normes éthico- politiques.* (Extrait d'un article écrit par une professeure de philosophie et publié dans *Le Monde* du 24 novembre 2001)

D'autres exemples[3] pour lesquels la traduction sera nécessaire.

> ✗ *L'apprenant gère des apprentissages dans une relation d'aide person- nalisée.*
> ✔ *L'élève apprenait quelque chose.*

> ✗ *Mon fils est apprenti lecteur en phase de lecturisation initiale dans un lieu de vie intra scolaire.*
> ✔ *Mon fils a commencé à lire à l'école.*

> ✗ *On instaure une pédagogie du contrat qui devient le moteur d'objectifs autogérés, éléments dynamiques par lesquels le formé devient acteur véritable de sa propre formation.*
> ✔ *On est d'accord ? Alors, au travail !*

---

3.   Ces quelques exemples sont tirés du livre *Méthodes et techniques de l'expression écrite et orale*, de Gilles Ferréol et Noël Flageul, Paris, Armand Collin, 1996.

> ✗ *Les mesures ministérielles sont induites à partir d'une symbolique sociale et codifiées dans un référent culturel qui, variable certes selon les époques et les lieux, reste néanmoins relatif à une dénotation de classe dont il constitue le capital culturel distinctif scolairement rentable.*
>
> ✔ *Le ministre de l'Éducation décidait sa politique scolaire en fonction des pressions sociales et des compressions du budget.*

> ✗ *Un professeur des écoles procède à l'évaluation normative, sommative et formative de la production de l'apprenant.*
>
> ✔ *Un instituteur notait le travail d'un élève.*

Anthony Burgess, l'auteur d'*Orange mécanique*, nous avait déjà mis en garde :

> Un énorme fossé s'est creusé dans le langage. D'un côté, les rigidités de la science et de la technologie, où les termes, les mots, les symboles signifient très exactement ce qu'ils disent ; de l'autre, un flou croissant, une oscillation entre l'incapacité de s'exprimer et le baragouin prosyllabique prétentieux...
>
> Je relève une tendance au verbalisme pur, notamment dans les discours publics, desquels on attend toujours mensonge et équivoque. Ce que je veux dire, c'est qu'une déclaration peut sonner comme si elle signifiait quelque chose, du moment qu'elle offre une structure syntaxique cohérente. Il suffit que les mots soient organisés selon un modèle d'un genre déterminé – leur signification importe peu. Un exemple ?
>
> Eh bien, mettons qu'un journaliste demande à un président ou à un ministre s'il va y avoir la guerre, et que la réponse soit quelque chose comme : « Il y a divers paramètres de plausibilité, lesquels méritent tous sérieux examen, dans le contexte des implications de votre question, Joe. Le schéma général des capacités de frappe des deux côtés de la dichotomie globale hypothétique est actuellement soumis à un processus d'analyse détaillée, et l'élément temporel y afférent ne saurait évidemment être encore quantifié avec certitude. Cela répond-il à votre question, Joe ? » Et Joe ne peut que dire : « Oui, merci bien, monsieur. » En dehors de ce que l'on peut appeler le langage des Professionnels de la Tangente, il y a une tendance croissante, dans la communication courante, à employer un vocabulaire qui n'a pas été clairement compris. Par exemple : « Nous avons eu des relations étroites », qui devrait signifier une liaison amoureuse, et : « C'est de l'hyperréaction de votre part » – entendez par là : vous êtes rudement et inutilement grossier. Et puis il y a tous les acronymes, que quantité de gens emploient sans être capables d'en reconstituer les cologarithmes composants – Seigneur ! Voilà que je m'y laisse prendre...

1.7.   «ORANGES PAS CHÈRES»

Pendant la guerre du Kosovo (1999), l'Organisation du traité de l'Atlantique Nord (OTAN) a inventé une expression peu connue au départ du grand public: «dommages collatéraux». On a fini par comprendre que cela voulait tout simplement dire «dégâts parmi la population civile».

Donald Rumsfeld, le secrétaire de la Défense du 43e président américain George Walker Bush, n'a jamais eu de problèmes avec les mots de guerre.

Lors des bombardements aériens en Afghanistan, l'expression passe-partout «neutraliser» n'a en aucun moment remplacé «tuer» dans ses discours émaillés de «bons mots» dont celui-ci d'Al Capone: «On obtient plus avec un mot gentil et un pistolet qu'avec un mot gentil tout seul.»

Certaines mauvaises langues à Washington on dit que Rumsfeld a été un mauvais ministre de la Défense, mais un excellent ministre de la Guerre.

Contrairement à Donald Rumsfeld, Allan Greenspan n'a jamais dit les choses clairement. Nommé en juin 1987 par Ronald Reagan à la tête de la FED, la Banque centrale américaine, il a été l'un des plus grands argentiers de l'histoire des États-Unis, mais est resté un orfèvre en phrases absconses.

Cela, nous dit *Le Nouvel Observateur* (8-14 février 2001), lui permettait d'entretenir l'incertitude sur ses intentions.

> Je sais que vous croyez comprendre ce que vous pensez que j'ai dit, mais je ne suis pas sûr que vous réalisiez que ce que vous avez entendu n'est pas ce que je pense, a-t-il lancé un jour aux élus du Congrès. Greenspan a tellement l'habitude d'un style contourné qu'il lui a fallu s'y reprendre à trois reprises pour que sa fiancée comprenne qu'il lui demandait de devenir sa deuxième femme [...]

Si le grand argentier avait été un grand orfèvre des mots, un «maître des leads», sa deuxième femme – la journaliste Andrea Mitchell de la chaîne NBC – n'aurait sans doute pas attendu le 6 avril 1997 pour comprendre que le cher Allan voulait l'épouser depuis belle lurette...

Il y a quelques années, un universitaire américain, James Finn Gardner, a eu la merveilleuse idée d'écrire la version «politiquement correcte» des contes de fées. Dans *Politically Correct Bedtime Stories* on croise Blanche-Neige et les «Sept verticalement différents», et on apprend enfin que les mauvaises sœurs de Cendrillon ne sont pas des laiderons mais «des jeunes personnes devant relever un défi esthétique». (New York, Macmillan, 1994)

Vos leads n'iront jamais droit au but avec un tel jargon. Ne jouez donc pas «aux oranges pas chères». «Ici on vend des oranges pas chères: 10 sous la douzaine!» Un tel lead est super...fétatoire, superflu. Trop long. Faites comme le (pauvre!) marchand qui n'inscrit que «10 sous la douzaine!» sur son écriteau, en sachant très bien que ses clients (ils seront nombreux!) ne confondront pas oranges et bananes.

1.8. PROUST EST TROP LONG

La concision se travaille. Samuel Langhorne Clemens, mieux connu sous le nom de Mark Twain, a fait 36 métiers avant de devenir journaliste puis écrivain. «J'ai fait long, a dit un jour le grand romancier américain, car je n'ai pas eu le temps de faire court.» N'oublions pas la remarque d'Anatole France qui s'excusait de ne pas s'intéresser à l'œuvre de Marcel Proust par cette formule: «Que voulez-vous? La vie est trop courte et Proust est trop long.»

Un bon lead doit avoir quelque chose à dire plutôt que dire quelque chose.

Pour y arriver, il faut le plus possible choisir des termes spécifiques et laisser tomber les termes génériques.

Choisissez entre les deux leads:

> _Un Mongorien qui_ voyageait _sur le toit d'un_ train _bondé s'est blessé en sautant pour ne plus entendre les_ oiseaux _qui l'accompagnaient._

ou

> _Un Mongorien_ agriffé _sur le toit d'un_ TGV _bondé a sauté du train à grande vitesse et s'est_ brisé le cou et les deux jambes _pour ne plus entendre les_ charognards _l'accompagnant._

La deuxième version est un peu plus longue, mais elle est beaucoup plus explicite. Le style journalistique est un style parlé, débarrassé de ses imprécisions.

Un lead précis nous éloigne à jamais du bla-bla parasitaire de la routine quotidienne. «Nous absorbons tous les jours des textes de qualité médiocre qui n'ont aucune chance de faire de nous ni un génie, ni un esthète, ni une grande âme, qui ne feraient même pas osciller un encéphalogramme », nous rappelait déjà Jean-Louis Servan-Schreiber dans *Le Pouvoir d'informer* (Robert Laffont, 1972).

« Les familles ne se parlent plus guère que pour des nécessités fonctionnelles », poursuit le journaliste français. « Passe-moi le sucre. » « Est-ce que tu rentres à midi ? » « Il faut payer la facture du plombier. » « Colette est encore rentrée à minuit. » « Est-ce que ça a marché à l'école ? » « J'ai été augmentée. » « Non pas ce soir. »

Si l'habitude de s'exprimer et d'être en contact avec les autres s'estompe, les anciens bavards peuvent devenir de bons écrivains ratés (les vrais sont rares !) à condition – vous l'avez deviné – de maîtriser parfaitement le lead. Ce n'est qu'avec une telle maîtrise que vous pourrez enfin vous débarrasser à jamais de vos chaussures de plomb et marcher à grandes enjambées droit au but chaque fois que vous prendrez le sentier (périlleux) de l'écriture.

Aller toujours droit au but, c'est ne plus fredonner cette chansonnette allemande : « Monsieur le conducteur, Monsieur le conducteur, qu'avez-vous fait ? Je voulais aller à Hambourg et je suis à Amsterdam ! »

Aller droit au but, c'est écrire :

✔ *Quatre Mongoriens ont été légèrement blessés mardi matin à Tombouctou lors d'une collision entre un train express régional et une locomotive.*
plutôt que :
✘ *Un train express régional est entré en collision avec une locomotive mardi matin blessant légèrement quatre Mongoriens.*

Annoncer une collision ferroviaire dès la première ligne n'est pas mauvais en soi, mais un tel accident est plutôt courant, beaucoup plus en tout cas qu'une collision entre deux avions. Ainsi :

Un Airbus 320 a percuté un Boeing 747 en plein vol mardi matin au-dessus de Tombouctou, tuant sur le coup les 520 passagers et membres d'équipage des deux appareils.

Un tel lead frappe l'imaginaire. Il est préférable à celui-ci :

Cinq cent vingt-deux passagers et membres d'équipage d'un Airbus et d'un Boeing 747 sont morts sur le coup mardi matin au-dessus de Tombouctou, lorsque le premier appareil a percuté le second.

Aller droit au but, c'est ne plus penser à ce dicton portugais : « Dieu écrit droit avec des lignes courbes. »

1.9. UNE, DEUX, TROIS, QUATRE, CINQ, SIX QUESTIONS

Aller droit au but, c'est surtout retenir ce conseil de Nicolas Boileau :

> Avant donc que d'écrire, apprenez à penser.
> Selon que notre idée est plus ou moins obscure,
> L'expression la suit, ou moins nette, ou plus pure,
> Ce que l'on conçoit bien s'énonce clairement,
> Et les mots pour le dire arrivent aisément.
>
> (*L'Art poétique*)

Mais arrêtons de dériver... Passons en revue nos six questions. Elles ne sont pas d'égale importance selon :

- la situation ;
- l'endroit ;
- les personnes impliquées ;
- le contexte ;
- le lieu ;
- l'heure.

Prenons comme exemple un accident de la circulation.

Qui ? Le qui est connu :

> *Le premier ministre Théophraste Renaud a été légèrement blessé à la tête hier après-midi, alors que sa Mercedes 500S a été impliquée dans une collision avec un autre véhicule, à l'angle des rues de l'Hôpital et Hippocrate.*

Quoi ? Dans une collision normale, c'est le quoi qui intéresse d'abord le lecteur :

> *Une collision face à face entre deux automobiles a brièvement entravé la circulation, hier après-midi, à l'angle des rues de l'Hôpital et Hippocrate.*

Quand ? Si le moment de la collision ajoute un intérêt à l'article, le quand devient important :

> *La circulation automobile, déjà dense à l'heure de pointe, a été complètement bloquée à 17 h hier lorsque deux automobiles sont entrées en collision à l'angle des rues de l'Hôpital et Hippocrate.*

Où ? Dans certains cas, c'est le où qui devient important :

> *Deux automobiles sont entrées en collision à l'intersection la plus acha-*
> *landée du centre-ville, à l'angle des rues de l'Hôpital et Hippocrate, atti-*
> *rant des centaines de curieux et provoquant un embouteillage monstre.*

Pourquoi ? Voici un cas où le pourquoi devient important, il explique la cause de l'accident :

> *Faisant une embardée afin de contourner un mendiant dansant dans*
> *la rue avec une bible et une croix, un automobiliste a lancé son véhicule*
> *contre un autre, qui venait en sens inverse, à l'angle de l'Hôpital et*
> *Hippocrate, hier après-midi.*

Comment ? Le comment peut également constituer un élément important de la nouvelle :

> *Une voiture dont le conducteur avait perdu le contrôle par suite d'une*
> *défectuosité mécanique du volant, s'est écrasée contre un lampadaire,*
> *après avoir percuté une autre automobile et sectionné une borne-*
> *fontaine, inondant les rues de l'Hôpital et Hippocrate hier après-midi.*

Qui ? Quoi ? Quand ? Pourquoi ? Comment ? Où ? Que faire quand plusieurs des six questions semblent comporter une valeur de nouvelle ? Souvent les réponses peuvent être amenées dans des paragraphes séparés. Voici cependant un exemple où on les retrouve toutes les six en un seul paragraphe court :

> *M. Théophraste Renaud a été légèrement blessé hier après-midi quand*
> *sa Mercedes 500S a fait une embardée pour éviter un mendiant dansant*
> *dans la rue près d'une borne-fontaine qui, sectionnée par la voiture du*
> *premier ministre, a inondé le centre-ville pendant trois heures.*

Vous l'avez compris, un lead doit former un tout complet, utilisable indépendamment du reste de l'article. *Small is beautiful*, disait l'économiste américain E.F. Schumacher (1911-1977). Entre deux mots, il faut choisir le plus court, rappelait André Gide. La langue française a certes bien des défauts. Elle a malgré tout les mots qu'il faut pour faire plus court que les Yancos d'Amérique latine qui, pour dire « trois », ont ce joli terme : « Poettarraorincoaroac ».

Sans plus tarder, plongeons dans les exercices suivants :

Exercices **3** à **7**

> *Un Mongorien **(qui)** de 107 ans a protesté en criant à tue-tête **(comment)** contre une amende de mille sous **(quoi)** pour conduite en état d'ivresse **(pourquoi)** en pleine heure de pointe **(quand)** sur une grande artère de la capitale **(où)**.*
>
> *Reprenez ce lead en commençant respectivement par le quoi (**Exercice 3**), le quand (**Exercice 4**), le où (**Exercice 5**), le pourquoi (**Exercice 6**) et le comment (**Exercice 7**). Vous donnerez ainsi un nouveau ton, une nouvelle tournure à votre histoire. Le sens de vos leads peut changer selon la place accordée à vos questions.*

Dans tous les cas cependant, votre lead doit être plus instrumental que littéraire, dire beaucoup avec moins de mots, viser l'économie syntaxique. Il doit permettre de voir ce qui doit être lu. Il doit être incisif et direct.

Alors le lead, c'est quoi ? La tension créatrice de votre texte.

CHAPITRE

2

KHÉOPS, KHÉPHREN, MYKÉRINOS

Amenhotep, le plus célèbre des scribes égyptiens, savait distinguer l'essentiel de l'accessoire. Cela lui permit d'entrer dans la haute administration et d'accéder aux plus hautes charges de l'État.

S'il avait réussi à grimper tous les échelons, c'était en retenant ce truisme : tout ce qui est accessoire n'est que détail circonstanciel.

Amenhotep vivait sous le soleil d'une Égypte qui avait construit et élevé de ses mains trois pyramides : Khéops, Khéphren et Mykérinos. Au total trois millions de cubes de blocs de calcaire et de granit, dont le poids allait de moins d'une tonne à plus de quarante. Il aura fallu près de 80 ans et, surtout, plus de 100 000 hommes et femmes pour dresser dans le ciel ces trois pyramides et assurer à jamais l'immortalité des pharaons.

Amenhotep ne connaissait malheureusement pas les règles de la pyramide inversée. Comme tous les scribes, il introduisait son sujet, le développait et concluait. Le cœur de son message se retrouvait dans la conclusion.

Amenhotep suivait les règles de la « pyramide normale » ; il « mettait le paquet » à la fin de son papyrus.

Il fallait donc lire jusqu'à la fin pour savoir quelles étaient les directives du pharaon. Quatre mille ans plus tard, nous écrivons encore bien souvent comme Amenhotep. Nous dissertons. *Logos* (introduction), *pathos* (développement), *ethos* (conclusion), disait Aristote.

Ces trois parties ressemblent à la cravate d'aujourd'hui (voir page suivante).

2.1. SUR LA POINTE

Passons à présent de la cravate, de la « pyramide normale » d'Amenhotep, à la pyramide inversée. Dans un lead à pyramide inversée, le problème est exposé et résolu en même temps. C'est là le but premier du « lead direct », du *hard lead*, comme disent les Anglo-Américains. Sans la pyramide inversée, ce type de leads ne peut pas véritablement être une introduction, un développement ni une conclusion.

Bon, alors comment y arriver ? Renversez, faites basculer (mentalement bien sûr !) Khéops, la grande pyramide sur le plateau de Gizeh, Khéphren, pour qui fut sculpté le sphinx, et Mykérinos, restaurée dans les années 1990.

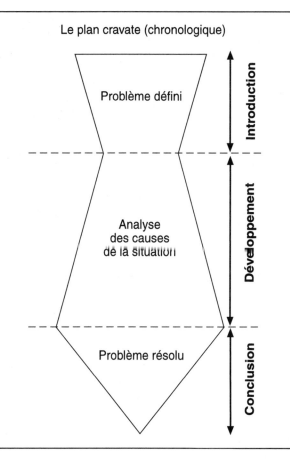

Le plan cravate (chronologique)

Maintenant que vous les avez posées sur la pointe, la base devient le sommet, donc le lead, de votre texte. Ce sommet doit présenter le sujet, accrocher l'intérêt du lecteur et baliser le corps du texte en permettant d'annoncer nettement ses différentes parties.

Un lead coiffant une pyramide inversée livre au moins 80 % de l'information avant la lecture du corps du texte. Il permet de voir s'il « faut lire » et « que lire ». Il permet au lecteur de saisir d'un coup ce que l'on traite et pourquoi on le traite. L'essentiel de l'information ressort donc immédiatement. Pas à la fin d'un trente-deuxième paragraphe. C'est en ordre décroissant que l'information s'offre à vous.

Sans la pyramide inversée, le lecteur est dans le Khéops total !

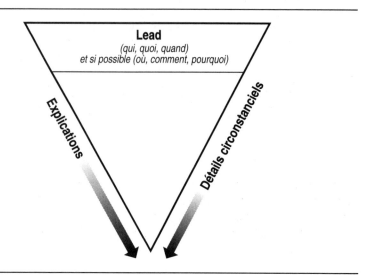

On le voit, plus on s'enfonce dans le corps du message, moins il devient important. L'information ne peut donc être accumulative.

Extrêmement important

Très important

Important

Futile

0

Commencez toujours par l'essentiel et allez ensuite au moins important, en paragraphes successifs. Chaque paragraphe est le complément du précédent.

Chaque paragraphe doit pouvoir être retranché, en commençant par la fin du texte, sans que le fond même de l'information soit dénaturé.

Robert Fulford a été journaliste culturel au *Globe and Mail* de Toronto avant de se lancer dans la littérature. Voici ce qu'il pense de la pyramide inversée :

> Jeune reporter, j'ai appris à rédiger des articles sens dessus dessous [...] il fallait mettre dans le premier paragraphe tout ce qui était essentiel, puis ajouter peu à peu les autres faits par ordre d'importance décroissante jusqu'à ce qu'il ne reste plus qu'un mince filet d'insignifiances, les données les moins intéressantes se retrouvant à la fin pour les rares lecteurs qui vous lisaient encore [...]

Cette formule d'article qu'on appelle la « pyramide inversée [...] permet au lecteur pressé d'absorber quelques faits en très peu de temps [...] cette méthode sévit encore dans bien des journaux, comme un vestige de la culture du dix-neuvième siècle et survivra certainement pendant une partie du vingt et unième siècle.

Dès qu'on m'eut initié à cette méthode de rédaction, je commençai à chercher des façons d'y échapper.

(*L'instinct du récit*, Montréal, Éditions Bellarmin, 2000)

Visiblement, la pyramide inversée ne convient pas à tout le monde ... Pour Didier Husson et Olivier Robert, la pyramide inversée présente, par contre, un grand avantage pratique :

[...] si à la mise en page le journal utilisateur découvre que le texte est trop long, le secrétaire de rédaction (le chef de pupitre au Québec) peut aisément faire « sauter » un ou plusieurs alinéas en remontant depuis la fin. De la sorte, l'article continue à former un ensemble cohérent et les informations principales ne sont pas altérées.

(*Profession journaliste*, Paris, Éditions Eyrolles, 1990)

L'inconvénient de la pyramide inversée sur la « pyramide normale » est qu'elle ne permet pas de conclure un texte sur une idée forte, sur une synthèse, une interpellation, une anecdote, une pointe d'humour... De telles « chutes » sont impossibles dans une pyramide inversée.

Lead : *Dans son cagibi du 1600 Penssylvania Avenue, Helen Thomas effleure le clavier de l'ordinateur pour sortir une dépêche sur une autre conférence de presse d'un autre président américain : elle en a connu huit en 38 ans de carrière.*

Son mince sourire souligné de rouge écarlate semble se moquer de ses 80 ans : « Je suis là ! Je suis encore là ! » [...]

Chute : *Un jour, Helen Thomas se retrouvera au musée de Madame Tussaud, à Londres, avec l'exergue suivant sur sa réplique de cire : « La tortionnaire des présidents ». La vraie Helen Thomas, elle, sourit. Elle ne quittera jamais la Maison-Blanche.*

Savoir « verrouiller » un texte est aussi important que savoir l'« ouvrir ». Nous travaillerons quelques « chutes » au chapitre 6 de ce manuel qui, encore une fois, met essentiellement l'accent sur des leads directs assis sur des pyramides inversées.

2.2. LE TÉLÉGRAPHE ET LA PYRAMIDE

C'est sans doute avec l'invention du télégraphe par Samuel F. Morse le 24 mai 1844 que la pyramide inversée (*inverted pyramid*, disent les Américains) vit le jour. Les défectuosités du télégraphe (le premier message fut : « What hath God wrought ! » « Ce que Dieu a façonné ! »), ses tarifs prohibitifs, apporteront les premières règles au journalisme du XIXᵉ siècle, toujours en vigueur aujourd'hui.

> Ce sont elles qui imposent aux correspondants de guerre la grande concision de leur expression. Simultanément, elles les obligent à présenter un résumé succinct de chaque nouvelle, avant d'en énumérer les détails, afin de déjouer dans la mesure du possible les risques d'interruption des liaisons par télégraphe. Les lecteurs devaient accueillir favorablement ce que la technique et les rédacteurs en chef imposaient.
>
> Le respect de ces obligations par les correspondants permettait non seulement à leurs confrères du journal d'ordonner les articles en fonction de l'espace disponible, cela sans jamais s'exposer au risque de manquer l'essentiel. Mais les lecteurs, de leur côté, gagnaient du temps et tiraient un meilleur parti de leur lecture.
>
> Ainsi, les premières recommandations aux journalistes américains sont nées des hasards de l'Histoire ou des nécessités de la technique : le procédé de la pyramide inversée, qui impose la synthèse avant la présentation des détails ; le respect des cinq interrogations de l'amorce, les 5 « W » – Who, What, When, Where, Why – (Qui ? Quoi ? Quand ? Où ? et Pourquoi ?) enfin la recommandation d'un style à la fois dépouillé et impersonnel. Règles qui se sont pareillement imposées à tous les journaux, non parce que les journalistes l'avaient voulu, mais parce que leurs lecteurs semblaient unanimes à en souhaiter l'application.
>
> (Francis Balle, *Et si la presse n'existait pas,* Paris, J.C. Lattès, 1987)

Le premier quotidien à avoir publié des articles à pyramides inversées fut, dit-on, le *New York Herald*. C'est vraiment à partir de la guerre civile américaine (600 000 morts) que la pyramide inversée trônera définitivement dans les salles de rédaction des États-Unis.

2.3. UNE PLUIE DE DÉPÊCHES

Certains textes excluent bien sûr la structure de la pyramide inversée. Il faut toutefois s'efforcer de mettre l'essentiel au début et l'accessoire à la fin, car le lecteur n'est jamais captif de votre structure. Les agences de presse – véritables moulins à nouvelles – le savent bien, elles. Elles construisent systématiquement des leads coiffant des pyramides inversées. Elles misent sur un style télégraphique que nous rappelle le *Michel Strogoff* (1876) de Jules Verne :

> Sire, une nouvelle dépêche.
>
> — D'où vient-elle ?
>
> — De Tomsk.
>
> — Le fil est coupé au-delà de cette ville ?
>
> — Il est coupé depuis hier.
>
> — D'heure en heure, général, fais passer un télégramme à Tomsk, et que l'on me tienne au courant.
>
> — Oui, sire, répondit le général Kissoff.
>
> Ces paroles étaient échangées à deux heures du matin, au moment où la fête, donnée au Palais-Neuf, était dans toute sa magnificence.

La pluie de dépêches qui suit aurait bien pu tomber entre les mains de Michel Strogoff :

New Delhi (AFP) – *Un Indien de 55 ans est descendu du sommet d'un arbre où il priait depuis 19 jours pour qu'il pleuve dans son village du sud de l'Inde : la mousson qui se faisait attendre est finalement arrivée.*

Ramappa Yelavatti est descendu de son tamarinier mercredi après que la localité de Dundur, dans l'État du Karnataka, eut été balayée par de fortes pluies pendant deux heures, a rapporté vendredi le journal Indian Express.

Ce paysan « faiseur de pluie », féru de performances sportives, a été porté en triomphe par les gens de son village où un dîner a été donné en son honneur.

Après avoir commencé ses prières par une « course pour la pluie » de 10 km en marche arrière, ce père de 8 enfants avait prié sans interruption pendant 19 jours attaché au sommet de l'arbre, ne mangeant que des feuilles de l'arbre et buvant parfois un peu de thé.

Il n'avait jusqu'à jeudi pas plu à Dundur depuis l'arrivée de la mousson en Inde au cours de la première semaine de juin. Dans le reste du pays, des déluges d'eau ont entraîné la mort de quelque 400 personnes dans divers accidents. La mousson est cruciale pour l'agriculture en Inde, dont 70 % de la population vit à la campagne.

Le Caire (AFP) – *Le cirque national du Caire a décidé d'interdire aux spectateurs d'entrer avec leur téléphone portable dont les sonneries sèment la panique parmi les fauves, a-t-on appris dimanche auprès du cirque.*

« *Durant un récent spectacle, les sonneries ont mis les tigres, les lions et les serpents dans un état de délire tel que les dompteurs risquaient de perdre tout contrôle sur ces animaux* », a expliqué un responsable du cirque.

L'introduction du téléphone portable est récente en Égypte et ne remonte qu'à novembre dernier.

Londres (AFP) – *Un aveugle, qui avait mordu son chien alors qu'il était ivre, a été privé de son animal pour deux ans par la justice britannique.*

Charles Dubois, 33 ans, avait mordu son Labrador guide d'aveugle à plusieurs reprises à l'oreille et au museau après avoir bu de l'alcool et absorbé des médicaments prescrits par son dentiste, a rapporté jeudi le Daily Telegraph.

Il a été pris en flagrant délit par une caméra de surveillance installée dans la rue. En première instance, en juillet, l'aveugle avait été condamné à 400 livres (650 dollars) d'amende et s'était vu interdire à vie la possession d'un chien.

La cour d'appel d'Edimbourg (Écosse) a réduit mercredi à deux ans la durée de cette interdiction.

Brian McConnachie, l'avocat de Dubois, qui avait perdu la vue dans un accident en 1993, a plaidé qu'il s'agissait d'« un incident isolé », expliquant que le chien refusait d'obéir aux ordres de son client car celui-ci ne marchait pas droit.

New Delhi (AFP) – *Un Indien de 57 cm, considéré par le Livre Guinness des Records comme l'homme le plus petit du monde, est mort à l'âge de 36 ans, sans avoir pu réaliser son rêve d'épouser une actrice de grande taille, a rapporté jeudi la presse.*

Gul Mohammed, qui souffrait d'asthme et de bronchite, est décédé mercredi dans un hôpital de New Delhi. Il n'avait pu réaliser ses vœux les plus chers, épouser une actrice de grande taille et devenir vedette de cinéma [...]

Ourang-Guton (AC) – *Les groupes internationaux de protection des animaux ont condamné jeudi une pratique de plus en plus répandue en Mongorie : chauffer au micro-ondes hamburgers, soupes et biscuits fabriqués à partir de la viande de chat.*

« Ces pratiques sont tout simplement barbares et ne sont pas dignes d'un grand pays comme la Mongorie », a déclaré M. Jean Sourisso, le président de la World Animal Association.

> *Chaque conteneur en plastique coûte 32 chongs et est prêt à consommer après seulement deux minutes au micro-ondes. On estime que six millions de Mongoriens consomment de la viande de chat quotidiennement.*

Quand un article est bien structuré, quand son lead est clair et concis, il est alors facile de lui trouver un titre. Voici les titres suggérés pour chacune des cinq dépêches :

- *Bien branché*
- *Téléphone arabe*
- *Rage aveugle*
- *Mariage en grand*
- *Un chat dans la gorge*

Un titre, comme un lead, doit capter l'attention. Les deux doivent être avares de mots et gorgés d'informations. Mais le titre doit en dire assez sans en dire trop. Il y a bien sûr des titres longs qui ne peuvent être raccourcis, comme celui-ci : *Ne dites pas à ma mère que je travaille dans la publicité : elle me croit pianiste dans un bordel.* Il s'agit cependant du titre d'un livre écrit en 1980 par Jacques Séguéla, le grand manitou de la pub en France. Règle générale, composer un titre demande autant de doigté qu'écrire un lead.

Si vous ne trouvez pas un titre dans un lead, descendez au deuxième étage, dans le sublead. Si vous devez vous rendre au sous-sol, à la fin de l'article, c'est que votre édifice est mal construit. Il ne respecte pas les règles de la pyramide inversée.

Le titre, c'est un peu comme le lead, les deux donnent :
- le monogramme du contenu ;
- l'état civil du texte.

Les deux ont une :
- fonction apéritive (ouverture de l'intérêt) ;
- fonction structurante ;
- fonction poétique ;
- fonction pratique (le courant doit passer).

Amusez-vous à trouver des titres de trois, quatre mots au grand maximum pour les sept dépêches suivantes :

La ville de Tombouctou :

Exercice 8

Tombouctou (AC) – *La ville de Tombouctou envisage de cultiver du cannabis à des fins médicales et de distribuer la « mari » elle-même aux malades, a-t-on appris mardi de sources officielles.*

Le conseil municipal de la ville a décidé de soumettre la question aux habitants de cette localité africaine lors du scrutin municipal de mai. « Il est temps de voir la réalité en face : nos malades ne peuvent même pas avoir accès aux médicaments occidentaux qui sont, par ailleurs, hors de leur portée », a indiqué le maire Ibrahim Idris.

Exercice 9

Londres (AFP) – *Un réfrigérateur est nettement plus utile qu'un homme à la maison, estiment une majorité écrasante de femmes britanniques dans un sondage publié jeudi.*

Quatre-vingt-sept pour cent des femmes interrogées par le service d'information sur les aliments congelés jugent leur frigo plus indispensable qu'un compagnon.

En général, elles mettent dans leur réfrigérateur le pain, les légumes et les chips. Mais certaines des mille Britanniques interrogées avouent y placer également leurs collants, des disques compacts, des bougies et même de l'argent. Le froid est censé améliorer la qualité sonore des CD, empêcher les collants de filer et accroître le temps de combustion des bougies.

Exercice 10

Newport News, États-Unis (AFP) – *Un homme de 35 ans, déclaré mort après avoir succombé à ses blessures par balles et qui s'apprêtait à voir ses organes vitaux extraits pour être greffés à d'autres patients, est revenu à la vie, a-t-on appris samedi de source policière.*

Grièvement blessé par balles, Henry Edgard Kaiser avait été transféré dans un état critique mercredi soir au Centre médical régional de Riverside (Virginie) où il devait subir une opération chirurgicale.

Vendredi matin, ayant apparemment succombé à ses blessures, il fut déclaré mort par le corps médical et la police déclenchait immédiatement une enquête pour meurtre, a expliqué un porte-parole de la police, Pete Edgette.

Entre-temps, la famille de la victime avait décidé de faire don de ses organes. « En conséquence, il a été placé sous respirateur artificiel », a précisé le porte-parole de la police.

Les récipiendaires des organes furent alors identifiés et alertés de se tenir prêts pour une greffe. Mais, dans la soirée, a expliqué Pete Edgette, « quand on a débranché le respirateur artificiel pour lui enlever ses organes, M. Kayser a continué de respirer ». Son activité respiratoire et ses fonctions cérébrales étaient « minimales » mais les médecins « ont décidé d'annuler la déclaration de décès ».

« C'est pour le moins étrange », a lancé le policier, en confiant que ni lui ni ses collègues n'avaient le souvenir d'avoir jamais rencontré un tel cas au cours de leur longue carrière.

Exercice 11

Ourang Guton (AC) – Un kangourou a sauvé la vie d'un couple de retraités en Mongorie en sortant le mari et son épouse des flammes de leur maison, avant de mourir lui-même dans l'incendie avec son petit, a annoncé lundi la police locale.

Le grand mammifère australien avait décidé de regagner la demeure en feu où se trouvait encore son petit lorsqu'une poutre calcinée s'est abattue sur eux.

« Ils sont morts sur le coup », a déclaré le porte-parole de la police. « C'est là un geste héroïque que l'on ne peut oublier. »

Encore sous le choc, le couple de retraités n'a pas voulu faire de commentaires.

Exercice 12

Cologne (Reuters) – Un couple de jeunes Allemands enchaînés à leur lit a dû faire appel en pleine nuit à la police pour se délivrer, rapporte dimanche le Bild am Sonntag.

Motif : la clé des menottes avec lesquelles ils s'étaient attachés s'est cassée dans la serrure au cours des ébats. Ultra-professionnels, les policiers de Cologne ont cisaillé les menottes sans faire la leçon aux deux jeunes gens, âgés de 25 et 30 ans.

Exercice 13

Los Angeles (Reuters) – *Un joueur malheureux est passé à côté d'un jackpot de 7,9 millions de dollars aux États-Unis, pour ne pas avoir glissé une simple pièce d'un dollar dans une machine à sous.*

Kirk Tolman, 22 ans, a vu s'aligner les trois symboles indiquant un gain maximal... avant de réaliser qu'il n'avait mis que deux pièces au lieu des trois requises dans l'appareil.

Il est cependant reparti avec un gain de consolation de 10 000 dollars.

« Il semblait contrarié, mais pas aussi triste que je l'aurais été à sa place », explique Buddy Frank, porte-parole de l'établissement, venu féliciter l'« heureux gagnant ».

« Il a dit qu'habituellement il jouait toujours trois pièces, mais qu'il n'avait pas fait attention parce qu'il discutait avec un ami. »

Exercice 14

Londres (Reuters) – *Un chauffard manchot et ivre, qui a dévalé les rues d'une ville, grillant un feu rouge tout en parlant au téléphone, a écopé d'une amende et d'une suspension de 18 mois de son permis de conduire.*

Stuart MacNamara, qui a perdu la moitié de son bras droit dans un accident, avait un taux d'alcoolémie bien supérieur à la limite légale lorsqu'il a été arrêté dimanche par la police de Swansea. « Je ne crois pas qu'il soit exagéré de dire qu'il s'agit d'un cas atypique », a déclaré vendredi à Reuters Richard Lewis, chef de la police du sud du Pays de Galles.

Utiliser un téléphone mobile au volant, dépasser la limite de vitesse et griller un feu rouge sont déjà des infractions quand elles sont perpétrées isolément, a-t-il dit. « Nous incitons a fortiori les gens à ne pas les faire toutes à la fois. »

Vous avez remarqué que toutes ces dépêches commencent par un « dateline » (une origine). Dater une dépêche d'un endroit veut dire que le correspondant de l'agence s'y trouve. Cela lui permet aussi de ne pas répondre à la question « où » dans son lead. Nos quotidiens sont remplis de leads commençant par des « datelines ».

2.4.   MAAT OU LA PRÉCISION ABSOLUE

Pourquoi donner uniquement comme exemples des dépêches d'agence? La réponse est simple: si à Tombouctou (n'oubliez pas, c'est au Mali!) la dépêche peut être reprise intégralement, à Tegucigalpa (Honduras) ce sera peut-être le contraire. Faute d'espace en effet, seuls quelques éléments de la dépêche seront alors publiés.

De plus la structure des dépêches d'agence repose plus que n'importe quel autre type d'articles sur la pyramide inversée. Résultat: elle colle parfaitement à l'hyperécriture, à l'écriture Web (voir chapitre 5).

Le lead d'une agence de presse, c'est la précision absolue. La précision, chez les anciens Égyptiens, était symboliquement représentée par une plume, utilisée comme poids sur la balance à peser les âmes. Cette plume légère portait le nom de Maat, déesse de la balance.

Les paragraphes des cinq dépêches suivantes ont été déplacés. Ils ont été remontés ou descendus afin de ne pas respecter les règles de la pyramide inversée. Agencez les paragraphes en allant du plus important au moins important. Les leads de chacune des dépêches sont bons. Conservez-les tels quels.

Exercice 15

Wellington (Reuters) – *Manger des kiwis pourrait s'avérer le seul moyen de sauver ces oiseaux qui symbolisent la Nouvelle-Zélande, selon un conservateur australien.*

Les espèces menacées de disparition, comme celle-ci, peuvent subsister uniquement grâce à l'élevage, a déclaré au New Zealand Herald John Wamsley, directeur du groupe Environmental Sanctuaries.

« Si chaque famille pouvait manger un kiwi lors de son déjeuner dominical, alors le problème serait résolu », a-t-il suggéré au quotidien.

De la taille d'un poulet, ces volatiles nocturnes ornent les pièces d'un dollar néo-zélandais et depuis la Première Guerre mondiale, ils ont donné leur surnom aux Néo-Zélandais.

Environ 95 % des kiwis sont tués par des hermines et des chats avant d'avoir atteint six mois et au rythme actuel, on n'en comptera plus que 50 000 en 2006.

Mais la solution préconisée par Wamsley n'a pas la faveur du département néo-zélandais de défense de l'environnement.

« Notre objectif est de conserver les kiwis à l'état sauvage, pas de les mettre en conserve », a assuré à Reuters Keith Johnston, directeur du Département.

Exercice 16

Colombo (AFP) – *Une vipère à deux têtes découverte au début du mois dans le sud du Sri Lanka est morte dans un zoo de Colombo, anéantissant l'espoir des autorités d'en faire une attraction touristique.*

Cependant l'animal à deux têtes ne semble pas avoir développé des glandes de venin, avait indiqué le vice-directeur sri-lankais à la faune sauvage, Nandana Atapattu. « Sinon je serais mort », avait-il dit en expliquant qu'il s'était fait mordre maintes fois par le jeune reptile, le prenant d'abord pour un python non venimeux.

L'animal, qui devait avoir environ trois mois, est mort après avoir refusé pendant plusieurs jours toute nourriture, a précisé dimanche un responsable du zoo Dehiwala à Colombo.

Pour éviter le stress, le serpent avait alors été confié au plus grand zoo de la capitale. Initialement pris pour un python, le serpent avait finalement été identifié comme une « vipère de Russell », localement connue sous l'appellation de Tic Polonga, particulièrement venimeuse et principale cause des morsures mortelles de serpents au Sri Lanka.

Ce reptile unique mesurait 26 cm de long et avait deux têtes, et donc quatre yeux, deux cerveaux, deux langues et deux nez. Il avait été capturé par des étudiants de Tissamaharama et remis au commissariat de la ville, où il attirait en quelques jours des milliers de curieux.

Exercice 17

Newport News (AFP) – *Un voyeur qui, collé à la vitre de l'appartement d'une femme, y avait laissé l'empreinte de ses lèvres, a été arrêté grâce à cet inhabituel indice, a-t-on appris samedi de source policière à Newport News en Virginie.*

« Les empreintes de lèvres n'ont pas les sinuosités et les particularités des empreintes digitales. Mais elles portent de multiples rides et crevasses qui en font comme une carte », a commenté Paul Ferrara, directeur du département des experts légistes de Virginie.

Robert Smith a été arrêté pour voyeurisme et risque jusqu'à un an de prison.

Les empreintes de ses lèvres ont été relevées sur la fenêtre d'une plaignante et ont pu conduire à son arrestation. « C'est un cas très rare. Nous n'en avons vu qu'un ou d'eux », a indiqué un porte-parole du FBI, Steven Berry.

Exercice 18

Paris (AFP) – *Une des dernières chemises, peut-être même la dernière, portée par l'empereur Napoléon à Sainte-Hélène, sera mise aux enchères, dimanche à Fontainebleau.*

Cette relique fait partie de quelque 500 lots « Empire » – autographes, livres, médailles, dessins, tableaux, souvenirs historiques, armes, meubles et objets d'art – que dispersera le commissaire-priseur Jean-Pierre Osennat, à l'Hôtel des ventes de Fontainebleau, en face du château, à partir de 14 h.

Mᵉ Osennat, assisté de plusieurs experts, proposera aussi un précieux coffret nécessaire de voyage, ayant appartenu à la comtesse de Montesquiou, gouvernante du Roi de Rome, des lettres signées de Napoléon, de ses aides de camp, ou du grenadier Pils, des bustes en marbre de Carrare, des sabres et épées ou encore un livre de comptes de Napoléon à Sainte-Hélène.

Mais le souvenir le plus touchant est la chemise en batiste, à manches longues et col droit fermant par un bouton, où figurent quelques petites tâches de rouille et qui fut recueillie le jour de la mort de l'Empereur par le Mameluk Ali (Louis-Étienne Saint Denis), l'un des fidèles domestiques de Napoléon 1ᵉʳ. Elle est estimée à près de 12 000 euros.

La pièce-maîtresse de la vente est le « Portrait de Napoléon Bonaparte (1769-1821), Empereur de France en pied, contemplant le buste d'Athéna, une carte du continent dans la main droite au musée Napoléon », attribué à Andréa Appiani.

Cette toile, estimée à environ 180 000 euros, avait été présentée au musée du Louvre, lors de l'exposition « Dominique Vivant-Denon, l'œil de Napoléon », à l'automne 1999.

Exercice 19

Sao Paulo (Reuters) – *Un moniteur de culture physique brésilien a accompli 111 000 tractions abdominales en 24 heures, battant ainsi le record du monde du genre, avec une moyenne de 77 abdominaux par minute.*

« Je ne ferai plus d'abdominaux pendant deux mois », a-t-il déclaré à la chaîne de télévision Globo.

Cette performance mondiale constituait le couronnement de plus d'un an d'entraînement pour Edward Freitas, qui avait déjà battu le record national, puis celui d'Amérique du Sud.

> *Il a battu le record de l'Américain Bill Evans, homologué par le livre Guiness des records, avec 103 000 abdominaux en 24 heures.*
>
> *Edward Freitas avait le droit de manger une barre énergétique et de boire du lait de noix de coco chaque heure et de s'arrêter toutes les quatre heures pour aller aux toilettes.*

Charles Anderson Dana était friand de ce type de nouvelles. Propriétaire du *New York Sun* (un quotidien à scandales du début du XXe siècle), il est tombé dans l'oubli. Et pourtant! C'est à lui que nous devons cette phrase passée à l'histoire: «Si un chien mord un homme, ce n'est pas de la nouvelle, mais si un homme mord un chien, c'est de la nouvelle!»

Pour David John Moore Cornwell, alias John Le Carré, raconter que «le chat s'installa sur le tapis», n'est pas une histoire, mais dire que «le chat s'installa sur le tapis du chien» en est toute une!

Une fois que la nouvelle a été choisie, il faudra la traiter, c'est-à-dire lui accorder l'importance qu'elle mérite selon le public desservi. C'est essentiellement avec le triangle actualité-intérêt-conséquence que s'édifient le lead et le texte à pyramide inversée:

- actualité: c'est, par définition, ce qu'il y a de nouveau. Vous répondez au «quoi de neuf?». Cela se situe donc dans le temps. André Gide nous disait: «Le journalisme c'est tout ce qui sera moins intéressant demain qu'aujourd'hui.»
- intérêt: c'est écrire en fonction de l'ami lecteur dont les intérêts sont multiples. Il lit votre «papier» parce qu'il s'auto-identifie à votre récit, pour des raisons socioprofessionnelles, politiques, géoculturelles, linguistiques, psycho-affectives... Il lit en fonction de ses «atomes crochus», de ses intérêts et de ses émotions. Plus la nouvelle est loin de son environnement, moins il y trouve un intérêt. Ce n'est pas une règle, c'est une «tendance lourde» (pour employer un jargon universitaire).
- conséquence (ou signification): c'est écrire en fonction de l'importance que peut avoir la nouvelle sur la vie et l'environnement du lecteur.

Le lead direct basé sur la pyramide inversée doit répondre à ces trois critères. C'est là le seul ordre logique d'un tel édifice.

2.5.   LES POUPÉES GIGOGNES

En plus de jongler avec des phrases courtes, il faut – chaque fois que cela est possible – construire ses paragraphes de manière qu'ils soient des îlots d'informations se suffisant à eux-mêmes. Les paragraphes doivent être indépendants les uns des autres. Un peu comme ces poupées gigognes russes qui s'emboîtent les unes dans les autres.

À l'instar des cinq dépêches précédentes, les deux textes suivants ont un défaut : leurs paragraphes ne sont pas bien agencés. Là aussi, l'exercice consiste à remanier chacun des textes en plaçant d'abord les paragraphes les plus importants de manière à informer le plus rapidement le lecteur paresseux qui ne se rendra peut-être pas jusqu'à la fin. Mais il y a une difficulté de plus : il vous faut aussi trouver le lead. Il se « cache » dans le corps du texte. Vous avez juste à le cueillir. Ayez en tête les règles de la pyramide inversée et n'oubliez pas le triangle actualité-intérêt-conséquence.

Exercice 20

Sydney (Reuters) – *Selon certains astronomes, un astéroïde de 60 mètres a explosé au-dessus de la Sibérie en 1908, dévastant un espace comparable à la ville de New York.*

Les scientifiques estiment à 300 000 le nombre d'objets célestes supérieurs à 100 mètres pouvant couper l'orbite terrestre.

En dehors de cette vision apocalyptique, de plus petits objets célestes, de 50 à 100 mètres, posent une menace réelle et plus immédiate.

Les astronomes estiment que l'un d'entre eux frappe la Terre tous les 100 ans, générant une énergie de 20 à 100 mégatonnes, supérieure à celle de n'importe quelle bombe nucléaire.

On estime que 300 astéroïdes baladeurs dépassant le kilomètre d'envergure peuvent couper l'orbite terrestre.

Une énorme comète heurtera la Terre le 14 août 2116 et la puissance du choc, supérieure à l'explosion d'un million de bombes nucléaires, pourrait balayer quasiment toute forme de vie, a déclaré dimanche un expert incontesté en astéroïdes.

L'Union astronomique internationale (IAU), l'autorité mondiale en matière d'astronomie qui a enregistré la découverte de la comète le 15 octobre, n'a pas exclu, pour la première fois depuis qu'elle tient des archives sur ces questions, l'hypothèse d'une collision avec le globe, a révélé Duncan Steel.

Baptisée Smith-Tuttle, cette comète a en fait été redécouverte, ayant été observée pour la première fois en 1862.

Elle est depuis suivie de près par les astronomes, qui ont commencé à calculer l'évolution de sa trajectoire depuis la publication d'une circulaire par l'IAU.

Cette comète, une masse de glace et de roche de cinq km d'envergure, se déplace à une vitesse telle (60 km/s) qu'une collision de plein fouet risquerait de ramener la planète à l'âge des ténèbres, a expliqué Duncan Steel, de l'Observatoire anglo-australien, lors d'une conférence internationale sur l'espace.

« La puissance de l'impact serait de 20 millions de mégatonnes, soit environ 1,6 million de fois celle de la bombe d'Hiroshima », a-t-il dit.

« Heureusement, nous sommes en sécurité, nos enfants et mêmes nos petits-enfants aussi, mais il semble que nos arrière-petits enfants ne le seront pas », a-t-il ajouté.

« Il [...] semble prudent de suivre la comète à la trace aussi long-temps que possible », a observé Brian Marsden, astronome de l'IAU, dans la circulaire officielle que Duncan Steel avait apportée avec lui.

Un tel suivi est nécessaire pour avoir des calculs fiables car les astéroïdes et les comètes accélèrent à l'approche du Soleil et ralentissent à nouveau quand elles repassent dans l'espace interstellaire.

« Il faut la suivre pendant cinq à six ans pour être sûrs de notre coup. Si elle nous atteint, ce sera le 14 août 2116, car ce jour-là la trajectoire interceptera l'orbite terrestre », a expliqué l'expert australien.

« Un objet d'un à deux kilomètres qui frapperait la Terre détruirait au moins 75 % de l'humanité et même probablement 95 % [...] Un impact dans l'océan n'est pas moins destructeur qu'un impact au sol », a-t-il noté.

Une telle catastrophe ne se produit que chaque million d'années, estiment les scientifiques qui accordent un risque de 0,01 à 0,1 % à son déclenchement durant un siècle déterminé.

Une collision de ce genre a peut-être provoqué, il y a 65 millions d'années, la disparition des dinosaures.

Puisque nous avons la tête dans les nuages, restons-y avec une autre histoire de météorites un peu plus terre à terre cette fois. Comme dans l'exercice précédent, mettez de l'ordre dans les paragraphes, en trouvant également le lead :

Exercice 21

Belfort, France (AFP) – « *C'est un créneau porteur, d'autant qu'il n'y a pas de législation sur les météorites* », expliquent Bruno Fectay, 27 ans, et Carine Bidaut, 21 ans.

Originaires de la région de Dôle (Jura), ils ont fondé l'année dernière dans le canton d'Arinthod leur société baptisée « *La mémoire de la Terre* ».

Ils sont aujourd'hui notamment en contact avec le *Planetaries Studies Fondation* de l'Université de Chicago ou encore le Museum d'histoire naturelle du CNRS à Paris.

Armés d'une paire de jumelle, d'un détecteur de métaux et de quelques aimants, deux jeunes français du Jura (est) ont sillonné inlassablement l'été dernier le désert marocain à bord d'un vieux véhicule tout terrain à la recherche de trophées un peu particuliers, des pierres venues de l'espace.

Ces chasseurs de météorites, qui présentaient leurs plus belles pièces à l'occasion d'un salon de la jeunesse ce week-end à Belfort (est), ont débuté dans les fouilles paléontologiques avant de s'intéresser aux étoiles.

Dans un catalogue américain, un vendeur proposait un fragment de 0,3 gramme d'une météorite lunaire très rare pour 50 000 dollars.

« *C'est comme posséder un gros diamant, sauf que c'est beaucoup plus rare* », observe Bruno, avouant que « *ces chiffres font rêver* ».

S'ils ont déjà fouillé un peu partout, en France ou ailleurs, les déserts constituent leurs terrains de chasse favoris. « *On y distingue mieux les météorites. Ces pierres sombres se détachent plus facilement sur des zones blanches et planes* », explique Bruno.

Mais leurs espoirs les plus fous sont loin d'être mercantiles. « *L'absolu, ce serait de trouver une météorite portant des traces de microfossiles* », dit Carine.

Ce jour-là, les vendeurs d'étoiles seront devenus des chasseurs d'extra-terrestres.

En France, les « *star hunters* » se compte sur les doigts de la main. Cette profession, née aux États-Unis dans les années soixante-dix, ne nécessite pas de diplômes mais une passion.

Pour cultiver leur amour des étoiles, Bruno a abandonné ses études de même que Carine. Ils se sont formés sur le tas, poussés dans leur investigation par la demande de musées et de centres de recherches internationaux.

Entre les collectionneurs particuliers, les chercheurs en astronomie ou les simples vendeurs, le marché de la météorite se porte bien et ses débouchés sont nombreux. Objet d'étude scientifique, elle se décline aussi en pendentif, montre, lame de couteau ou presse-papier.

Leur plus belle prise, c'est « Zegdou », du nom du village marocain près de la frontière algérienne, en zone militaire, où ce bloc de six kilos a été découvert au mois d'août. Actuellement, des morceaux de « Zegdou » se trouvent entre les mains d'éminents spécialistes de la NASA aux États-Unis.

Non loin de Zegdou, les jeunes chasseurs se sont procuré « Béchar », une belle pièce de 42 kilos, grâce aux témoignages de nomades berbères.

Deux kilos ont déjà été vendus pour 50 000 F (environ 9000 euros) à des marchands allemands et autrichiens.

2.6.   DU HAUT DE CETTE PYRAMIDE INVERSÉE...

Qu'a dit Socrate, presque aveugle, au jeune homme timide venu l'écouter? «Parle afin que je te voie!» Le jeune homme a fini par parler, le vieux philosophe – souvent critiqué pour la difficulté de ses idées due à un «langage technique» – a vu à qui il avait affaire. Écrire, c'est tout simplement parler. Parler sans les parasites du langage, comme on peut le voir dans la transcription d'un bref passage d'une émission radiophonique populaire:

> Nous avons Patty Baby, ce soir, au David Mickie Show, et pour les jolies qui veulent danser, nous avons Freddy Canon... Houba-skouba-dou, ça vous va les boubous? Et ensuite on redansera, on valsera parmi les étoiles, on cavalera sur les rayons de lune... schwou-ou-oushhhhhhhhh.
>
> Ouahhhhhou... et tout ça avec un copain, le meilleur, le copain des copains, votre aimable, votre adorable, votre désirable ami Dickie Mickie, à neuf heures et demie, aux portes de la nuit. Et on va aussi se parler, se téléphoner... Vous composez tout simplement WAlnut 5-1151, je répète WAlnut 5-1151 et vous donnez le titre du disque que je fais tourner.
> (Marshall McLuhan, *Pour comprendre les media*, Montréal, Éditions HMH, 1968)

On le voit, la redondance est l'une des principales caractéristiques de la conversation. Elle représente même 50% du langage. Se dégager le plus possible de cette redondance en offrant un maximum d'information est l'un des buts du lead.

Sven Sainderichin nous précise ceci dans *Écrire pour être lu* :

> Le style qui convient pour la communication écrite, c'est le
> style de la conversation, juste nettoyé de ses défauts habituels ;
> le désordre, la redondance excessive, l'absence de rigueur, une
> certaine négligence – ce qui est facile à corriger.

Un peu comme notre façon de converser, notre façon d'écrire
est une projection de notre personnalité qui saute immédiatement à
la figure du lecteur.

Si vous ne présentez pas de suite le sujet, si vous n'accrochez
pas l'intérêt du lecteur et ne balisez pas le corps du texte en permettant d'annoncer nettement ses différentes parties, vous n'avez pas
alors un bon lead.

Avec un lead bien structuré, les mots qui suivent courent plus
vite sur votre feuille de papier.

Éloignez-vous donc le plus possible de la structure de la
dissertation (du latin *serere* : entrelacer, tresser) où :

> Il est préférable de rédiger l'introduction après la conclusion
> [...] Commencer une dissertation en commençant par rédiger
> l'introduction est dangereux ; on risque d'y passer trop de
> temps, de la faire trop longue et de ne pas pouvoir s'en tenir
> au plan annoncé.
>
> (Maya Prpic, *La dissertation*, Montréal, Éditions HMH, 1998)

Vous êtes là aux antipodes du lead à pyramide inversée. Il ne
s'agit pas de jeter l'anathème sur l'éternel trio introduction-développement-conclusion, de faire comme Hernan Cortes – le conquistador
qui brûla ses vaisseaux afin d'empêcher ses hommes de retourner en
Espagne du jour au lendemain, sans avoir pris tout l'or des Incas, des
Mayas, des Aztèques et autres Indiens d'Amérique.

La structure de la dissertation a son utilité mais, dans un monde
où tout va à la vitesse de la lumière (300 000 kilomètres seconde), le
lead à pyramide inversée permet de muscler une argumentation (c'est-
à-dire fournir des faits) et de fixer un problème plus rapidement.

Le lead à pyramide inversée, c'est commencer par la conclusion pour grimper ensuite dans les détails de l'information. À l'instar
de Robert Fulford, Thomas Gergely nous rappelle les failles de cette
structure :

> Appliquée trop systématiquement, elle affadit l'article au fil de
> la lecture et pousse le public à l'abandon. Il est, par conséquent,
> souhaitable de veiller à la relance de l'intérêt en réservant, pour

les diverses étapes du développement, un détail significatif propre à entretenir la curiosité.
(Information et persuasion. Écrire. Bruxelles, De Boeck Université, 1992)

Rien ne vous empêche de suivre les règles de la pyramide inversée en relançant le lecteur avec une nouvelle information, une nouvelle anecdote. Les deux ne sont pas incompatibles. Mais attention, à défaut de suivre les consignes de la pyramide inversée, vous risquez d'être frappé par la malédiction du pharaon, comme a pu le constater ce pauvre touriste de la perfide Albion :

> **Le Caire (AFP)** – *Un touriste britannique qui avait subtilisé une pierre sur le plateau des pyramides, dans la banlieue du Caire, l'a renvoyée par la poste aux autorités égyptiennes en expliquant qu'elle lui avait porté malheur, a révélé dimanche un porte-parole du musée du Caire.*
>
> *« J'ai volé la pierre, il y a cinq ans et depuis, je suis frappé par la malchance », écrit ce touriste anonyme, qui se présente simplement comme « un ami d'Angleterre », dans une lettre adressée au directeur du musée Mohammad Saleh.*
>
> *« S'il vous plaît, replacez-la sur le plateau des pyramides de Gizeh, dans la banlieue du Caire », ajoute le touriste dans cette lettre datée du 19 août, dont l'AFP a obtenu une copie.*
>
> *« J'ai été fou de prendre cette pierre et je suis vraiment désolé. Les Pyramides sont une merveille. Les idiots comme moi doivent se contenter de regarder, admirer, mais pas toucher », poursuit le touriste, qui ne précise pas comment la pierre lui a porté malheur.*
>
> *Plusieurs archéologues ayant découvert des sépultures royales égyptiennes au début du siècle ont succombé peu après. Ces décès ont alimenté la légende de « la malédiction des pharaons », selon laquelle les Égyptiens auraient imaginé un dispositif (poison ou autre) qui frapperait ceux qui violeraient leurs tombeaux.*

Comme on fait son lead, on écrit. Raisonnez toujours du particulier au général. Du haut de votre pyramide inversée, vous contemplerez alors une prose dont les détails les moins importants se retrouveront toujours à la fin.

3

LEADS, LEADS, LEADS

Il trempa sa plume dans l'encre et écrivit en tête, de sa plus belle écriture : *Souvenirs d'un chasseur d'Afrique*. Puis il chercha le commencement de sa première phrase. Il restait le front dans sa main, les yeux fixés sur le carré blanc déployé devant lui. Qu'allait-il dire ? Il ne trouvait plus rien maintenant de ce qu'il avait raconté tout à l'heure, pas une anecdote, pas un fait, rien.

Tout à coup, il pensa : « Il faut que je débute par mon départ. » Et il écrivit : « C'était en 1874, aux environs du 15 mai, alors que la France épuisée se reposait après les catastrophes de l'année terrible... »

Et il s'arrêta net, ne sachant comment amener ce qui suivrait, son embarquement, son voyage, ses premières émotions.

Après dix minutes de réflexion, il se décida à remettre au lendemain la page préparatoire du début [...]

Il s'assit devant sa table, trempa sa plume dans l'encrier, prit son front dans sa main et chercha des idées. Ce fut en vain. Rien ne venait.

Il ne se découragea pas cependant. Il pensa : « Bah, je n'en ai pas l'habitude. C'est un métier à apprendre comme tous les métiers. Il faut qu'on m'aide les premières fois. »

Celle qui va l'aider c'est Madeleine Forestier, l'épouse de son rédacteur en chef qui à la mort de celui-ci [...]

C'est ainsi que commença la carrière journalistique de Georges Duroy, le héros de *Bel-Ami*, chef-d'œuvre de Guy de Maupassant, mort fou à l'âge de 43 ans.

Ce vertige de la page blanche (*writing block*, disent les Américains) nous frappe tous un jour ou l'autre. Georges Duroy avait l'aide de Madeleine Forestier (elle devint sa maîtresse !). Et nous ? Le lead ! Notre maître !

« Le commencement est la partie la plus importante du travail », nous conseillait Platon dans la *République*. Plus près de nous, le journaliste John McPhee du *New Yorker* rappelle : « La première partie – le lead, le commencement – est la plus difficile de toutes à écrire. J'ai souvent entendu des écrivains dire que si vous avez écrit votre lead vous avez 90 % de l'histoire. »

3.1. LE GÉOMÈTRE DU MOT

La première annonce écrite date de 3000 ans avant J.C. Il s'agit d'un papyrus de Thèbes offrant une récompense pour la capture d'un esclave fugitif.

Elle devait sûrement être rédigée ainsi : « Un dangereux esclave a pris la clé des champs à dos d'âne : gardez l'animal en capturant le fugitif. »

Ce « style télégraphique » plaisait à Marullus, « propriétaire » à Rome *d'acta diurna* (actes du jour), les premières publications méritant le nom de journal.

Cet « éditeur » vécut dans la ville impériale un demi-siècle avant Jésus-Christ. Il proposait ceci à ses collègues « journalistes » : « Qu'on fût sec, qu'on fût rude, qu'on fût brusque et qu'on fût court. »

> Il exigeait que tout soit articulé jusqu'à la sécheresse dans le ton, précis jusqu'à la rudesse dans le vocabulaire, surprenant jusqu'à la brusquerie dans la construction de la phrase et, dans la durée, prompt jusqu'à être tranchant et presque trop court. Sec afin qu'on saisisse l'oreille. Rude afin qu'on touche l'esprit. Brusque afin qu'on retienne l'attention et qu'on inquiète le rythme du cœur. Court afin qu'on reste sur sa faim plutôt qu'on verse dans l'ennui.   (Pascal Guignard, *La Raison*, Paris, Seuil, 1990)

Ce style télégraphique avant l'heure, Caelius, un ami de Cicéron, l'aimait bien. Voici ce qu'il envoya à l'homme politique romain :

> Paulla Valeria, la fille de Triarius, a divorcé de son époux sans raison apparente, le jour même où il devait arriver de sa province : elle va se marier à D. Brutus et a renvoyé sa garde-robe.
> (Mitchell Stephens, *A History of News. From the Drum to the Satellite*, Londres, Penguin Book, 1988)

Faites comme Caelius : construisez des leads qui disent tout, tout de suite.

C'est ce que ne fit pas René Descartes en s'adressant aux doyens et docteurs de la faculté de théologie de Paris :

> La raison qui me porte à vous présenter cet ouvrage est si juste, et, quand vous en connaîtrez le dessein, je m'assure que vous en aurez aussi une si juste de le prendre en votre protection, que je pense ne pouvoir mieux faire, pour vous le rendre en quelque sorte recommandable, qu'en vous disant en peu de mots ce que je m'y suis proposé.
>
> J'ai toujours estimé que ces deux questions, de Dieu et de l'âme, étaient les principales de celles qui doivent plutôt être démontrées par les raisons de la philosophie que de la théologie : car bien qu'il nous suffise, à nous autres qui sommes fidèles, de croire par la foi qu'il y a un Dieu, et que l'âme humaine ne meurt point avec le corps ; certainement, il ne semble pas possible de pouvoir jamais persuader aux infidèles aucune religion, ni quasi même aucune vertu morale, si premièrement

on ne leur prouve ces deux choses par raison naturelle. Et d'autant qu'on propose souvent en cette vie de plus grandes récompenses pour les vices que pour les vertus, peu de personnes préféreraient le juste à l'utile, si elles n'étaient retenues, ni par la crainte de Dieu, ni par l'attente d'une autre vie.

(Les Méditations)

Chaque fois que cela est possible (et ça l'est toujours), allez droit au but en ficelant votre pensée en une seule phrase ne dépassant pas quatre lignes (une quarantaine de mots). Ainsi au lieu d'écrire :

✗ *Un violent séisme a frappé mardi le centre de Vornéo. Ce tremblement de terre a fait 2000 morts selon les premières estimations du Bureau central météorologique de l'île. La secousse était d'une magnitude de 7,8 sur l'échelle de Richter.*

écrivez :

✔ *Un violent séisme d'une magnitude de 7,8 sur l'échelle de Richter a fait 2000 morts dans le centre de Vornéo, selon les premières estimations du bureau central météorologique de l'île.*

ou encore :

✔ *Deux mille personnes sont mortes dans le centre de Vornéo lors d'un violent séisme d'une magnitude de 7,8 sur l'échelle de Richter, selon les premières estimations du bureau central météorologique de l'île.*

Voici cinq autres leads en plusieurs phrases sur ce pays que vous ne connaîtrez jamais puisqu'il est (vous le saviez déjà) fictif, donc absent de la liste des 194 pays membres de l'ONU.

Exercice **22**

Un avion s'est écrasé à Vornéo. L'appareil, un Boeing 748 de la Wantaï Airlines, survolait une plage au moment où l'accident est survenu mardi. Il y avait 275 personnes à bord, ont annoncé les autorités aéroportuaires.

Exercice **23**

Le printemps est arrivé à Vornéo et avec lui les milliers de nids de poule. Les routes sont parsemées de cratères. Les véhicules se mettent à zigzaguer pour les éviter. Résultat : ils se retrouvent chez les garagistes qui s'en mettent plein les poches.

Exercice 24

Le ministère de la Santé de Vornéo a rendu public jeudi un numéro rouge sur la méningite. Le but est d'éviter l'apparition de la méningite dans l'île. Ce numéro permettra de répondre aux questions du public et des médias sur la méningite.

Exercice 25

Un jeune Vornéoien est resté bouclé dix jours dans son appartement. Il avait glissé dans sa baignoire et n'avait pu se relever. Le Vornéoien de 20 ans, pesant 230 kilos, a fini par être secouru, a-t-on appris dimanche de source policière.

Exercice 26

Un Vornéoien en état d'ébriété a tenté de faire croire à son épouse qu'il avait été dépouillé de son portefeuille en s'ouvrant la gorge avec un tire-bouchon. Il craignait d'avouer à sa compagne qu'il avait dépensé tout l'argent du couple à boire.

Pour chacun des exemples, concoctez un lead en une seule phrase.

3.2.   BLACK-OUT À LAS VEGAS

Vous êtes à Las Vegas pour « faire fortune » mais malheureusement (ou heureusement !), le jour de votre arrivée la capitale mondiale du jeu est en plein black-out. Cela dure quelques heures. Voici comment un journaliste pourrait raconter ce qu'il a vu :

Las Vegas a été privée d'électricité pendant quatre heures mardi matin par une panne qui a contraint ses 360 casinos-hôtels à fermer leurs portes « jetant sur le pavé » des milliers de joueurs mais gardant bien au frais les clients dans leurs chambres.

Un problème au barrage du lac Mead, au sud de la ville, semblait être à l'origine de la panne de deux centrales, survenue peu après 7 h 30 heure locale. L'électricité a été rétablie vers midi, alors que le soleil tapait sur tout ce qui bougeait dans la ville. Les « temples du

> jeu » avaient « fermé boutique » durant la panne craignant d'être vic-
> times de cambriolages malgré leurs multiples systèmes de sécurité qui
> fonctionnaient grâce à leurs puissantes génératrices. Les clients des
> hôtels-casinos ont été confinés à leurs chambres climatisées où ils ont
> eu droit à un petit-déjeuner gratuit.
>
> À l'annonce du rétablissement du courant, les joueurs se sont rués
> sur les cartes, dés, roulettes, machines à sous, roues de fortune – bref
> sur tout ce qui était censé faire leur bonheur.

Et vous, comment allez-vous raconter votre histoire par e-mail
à un ami ayant tenté sa chance à Macao ? Comme le journaliste. Avec
une toute petite différence : vous faites partie du récit.

> Las Vegas a été privé d'électricité pendant quatre heures mardi matin
> par une panne qui a contraint tous ses casinos-hôtels à fermer leurs
> portes « jetant sur le pavé » des milliers de joueurs – dont moi – mais
> gardant bien au frais les clients dans leurs chambres.

Vous avez à peu près le même lead que le journaliste. Votre
ami va lire la suite de votre courriel.

> L'électricité a été rétablie vers midi, alors que le soleil tapait sur tout ce
> qui bougeait dans la ville. Les « temples du jeu » avaient « fermé bou-
> tique » durant la panne craignant d'être victimes de cambriolages
> malgré leurs multiples systèmes de sécurité qui fonctionnaient grâce à
> leurs puissantes génératrices. Les clients des hôtels-casinos ont été con-
> finés à leurs chambres climatisées où ils ont eu droit à un petit-déjeuner
> gratuit, pendant que je faisais le pied de grue à l'entrée de mon casino
> préféré, le Dummy's Palace.
>
> À l'annonce du rétablissement du courant, je me suis rué avec tous
> les autres joueurs sur les cartes, dés, roulettes, machines à sous, roues
> de fortune – bref sur tout ce qui était censé faire mon bonheur et celui
> de mes « frères » et « sœurs » du jeu.
>
> Un problème au barrage du lac Mead, au sud de la ville, semblait
> être à l'origine de la panne de deux centrales, survenue peu après 7 h 30
> heure locale.

Vous voyez, votre récit est aussi bien structuré que celui de
n'importe quel journaliste. Ne perdez plus ce nouveau réflexe.

Votre lead est un système pur, sans aucune unité perdue. C'est une constante pulsion vers l'exactitude. Quel que soit le sujet choisi, c'est le but qui doit être déterminé à l'avance et ce but doit être clairement identifié dès les premiers mots. Le lead est toujours le plus grand ennemi du hasard... même à l'heure du courriel.

3.3. L'ÉCRITURE À L'HEURE DU NET

« Salut, g bien reçu tes deux CD. Trop OQP pour l'écouter. Kes ke tu deviens ? AKC ». Quel est ce langage ? Les cyber-épistoliers ont de plus en plus tendance à écrire comme ils parlent.

Les mots sont maltraités, manipulés, l'orthographe vole en éclats. Erik Orsenna, membre de l'Académie française, ne s'en formalise pas cependant.

> Grâce à Internet, aujourd'hui plus personne ne peut plus vivre sans écrire. C'est un phénomène totalement nouveau : l'écrit revient. Alors laissons-le s'installer, même avec ses maladresses, et ensuite on l'étudiera de près. On le clarifiera parce qu'une langue a besoin de clarté.
>
> (Cité dans *La Gazette de la presse francophone*,
> journal bimestriel, mai-juin 2001)

Même le service de courrier par 800 pigeons voyageurs de la police d'État d'Orissa, dans l'est de l'Inde, risque de faire long feu à cause de l'utilisation croissante du courrier électronique.

On « s'e-mail » pour tout. Pour abréger une conversation téléphonique ou pour conclure un rendez-vous, ou s'envoyer des rapports professionnels. On « s'e-mail » bien sûr des mots d'amour, des mots de tous les jours. Le courrier électronique est un phénomène social qui change radicalement les modes d'écriture et de communication entre les gens, proches ou lointains.

Pour Don Tapscott, auteur d'un ouvrage de référence sur la « génération digitale », cette nouvelle écriture bouleverse la communication :

> Je crois que le cybertexte offre une autre voie dans l'expression écrite. Un nouvel alphabet est en train de prendre forme avec ses abréviations, ses néologismes, ses combinaisons d'images et de signes qui traduisent une relation plus émotive avec l'ordinateur.
> (*Growing up Digital, the Rise of the Net Generation*,
> New York, McGraw-Hill, 1998)

Les principaux signes utilisés dans les courriels schématisent diverses expressions du visage. Pour les reconnaître, il faut incliner la tête à 90 degrés.

:-)   sourire
:-D   rire
:-(tristesse
:-II colère
:-@   hurlement
:-{) flirt
:-O   étonnement
:-[sarcasme
:-[envie de pleurer

Ces points, deux points, tirets ou parenthèses font désormais partie des onomatopées du XXIe siècle.

Les chercheurs ont identifié plusieurs types de « e-mailers » :

- les « *e-mail Animals* », les plus branchés, se livrant corps et âme à leurs correspondants électroniques et pouvant échanger jusqu'à cent courriels par jour ;
- les « *Wmail Virgin* », les plus réfractaires ou les plus en retard sur ce mode de communication, n'envoyant qu'un à deux mails par jour ;
- les « *Wired Teenagers* », la génération du Net, dont les plus jeunes (8 à 15 ans) font du mail un véritable outil de conversation permanente.

Peu importe les types de « e-mailers », l'échange quotidien de courriels (trois milliards annuellement aux États-Unis) exige des qualités rédactionnelles irréprochables.

> L'écrit s'impose désormais comme le moyen de communication le plus efficace : un courrier électronique évite de passer les cinq coups de téléphone autrefois nécessaires pour joindre son interlocuteur. Mais encore faut-il être capable d'exposer clairement ses propos. Écriture précise et argumentée. Phrases trop longues, ampoulées, mots mal appropriés qui rendent les textes illisibles.
>
> (*Le Point*, « Au secours, les cadres ne savent plus écrire »,
> 18 février 2000, n° 1431)

Avec ce retour (en force) de l'écrit, un courriel coiffé d'un lead bien structuré, clair et limpide aura toutes les chances de se frayer un chemin à travers la marée des e-mails.

3.4. UN MATCH DE CATCH

Que vous envoyiez un courriel ou écriviez sur du papyrus, votre lead est une histoire qui se construit sous les yeux du lecteur, chaque mot, chaque paragraphe doit être intelligible. C'est un peu comme assister à un match de catch… Dans *Mythologies* (Paris, Seuil, 1957), Roland Barthes évoque en ces termes ce monde où le spectacle est toujours excessif :

> Chaque signe du catch est doué d'une clarté totale puisqu'il faut toujours tout comprendre sur-le-champ. Dès que les adversaires sont sur le ring, le public est investi par l'évidence des rôles. Comme au théâtre, chaque type physique exprime à l'excès l'emploi qui a été assigné au combattant.

La vie est après tout un immense ring où évoluent toujours un Bon, une Brute et un Truand. Bien ficelé, un lead vous permettra de bien camper ces personnages.

Mais revenons à Barthes : « Chaque moment du catch est donc comme une algèbre qui dévoile instantanément la relation d'une cause et de son effet figuré. »

Si tous vos paragraphes doivent être des « îlots d'informations se suffisant à eux-mêmes » (chapitre 2), ils doivent aussi avoir un enchaînement causal, naître les uns des autres, être chacun un développement du précédent, ceci doit forcément expliquer cela. Mais si tout article construit sur la base d'une pyramide inversée (il y en a une au Carrousel du Louvre !) doit être excessivement clair, il ne doit pas pour autant laisser transparaître son intention de clarté.

Votre photographie du réel ne doit être ni surexposée ni sousexposée. Ne la laissez pas tomber dans les clichés. L'équilibre des mots, des phrases, de chaque ligne, vous l'atteindrez grâce à votre lead, le baromètre de votre écriture. Chaque paragraphe doit obéir à un autre et « celui qui veut convaincre doit se fier non pas à l'argument juste, mais au mot juste », car « les mots ont toujours plus de pouvoir que le sens », nous dit l'écrivain britannique Joseph Conrad, de son vrai nom Teodor Jozef Konrad Korzeniowski.

3.5. « AUTRES SAUCES »

Nous savons à présent ce qu'est un bon lead ; les ingrédients qu'il faut pour en « cuisiner » un. Il faut être capable cependant de travailler « d'autres sauces ».

Jacques Larue-Langlois a longtemps été journaliste avant d'enseigner ce métier qu'il aimait passionnément:

> Il existe plusieurs types d'articles auxquels des leads variés peuvent donner de la vie, de la saveur, ajoutant au *mood* de l'article lui-même. Les journalistes, comme les lecteurs, aiment bien le changement. Certaines nouvelles, à cause de leur contenu, exigent un traitement différent. Il ne faudrait pas demander à un journaliste pratiquant le métier de catégoriser consciemment les différents types de leads, quoiqu'il les utilise régulièrement.

Passons en revue deux douzaines de leads en leur accolant des étiquettes pour mieux les repérer dans notre imagination en pleine ébullition.

Il y a d'abord les leads que nous qualifierons de «leads à ponctuation». Ponctuer une phrase est une technique souvent difficile.

Entre ces deux phrases il y a une guerre qui se perd ou qui se gagne:

- Messieurs, les Anglais, tirez les premiers!
- Messieurs les Anglais, tirez les premiers!

La ponctuation permet d'écrire clairement; elle permet aussi d'écrire obscurément: il faut choisir. C'est en substance ce que nous rappelle Jacques Drillon qui a écrit tout un livre sur la ponctuation (*Traité de la ponctuation française*, Paris, Gallimard, 1991).

Lead à deux-points

> *Un ivrogne a mordu un caniche aboyant à son passage, hier, dans un parc: l'homme s'est jeté sur le chien l'assommant à coups de bouteille sous le regard impuissant de son propriétaire.*

Caelius avait eu recours à ce type de leads pour écrire à Cicéron. C'est un lead à deux-points. Les six questions sont là (les avez-vous identifiées?). En un peu plus de deux lignes vous avez structuré votre récit. Le lead à deux-points est très prisé. Nous en avons même abusé dans les deux premiers chapitres. Faisons encore appel à Jacques Drillon:

> Le deux-points a un pouvoir logique très puissant. Il équivaut à «donc», à «parce que», à «bien que», à mille et une de ces charnières qui permettent d'articuler le raisonnement. Il introduit une cause, une explication.

LEAD À PLUS D'UN DEUX-POINTS

Si un lead à deux points ne suffit pas, allez-y avec ceci :

> *Profession : tromboniste. Âge : 90 ans. Signe particulier : sourd. Autre signe particulier : il recouvre l'ouïe après avoir attendu cinq minutes son chef d'orchestre au coin d'une rue martelée par des marteaux-piqueurs.*

Votre lead est en plusieurs phrases. Ce n'est pas grave (et n'est pas interdit !). Elles sont courtes et bien rythmées grâce au deux-points.

LEAD À VIRGULES

> *Acteurs inquiets, hommes d'affaires amoureux, femmes du monde délaissées ou paysanne possédée se précipitent en voiture, en taxi et même en hélicoptère vers un village du Delta du Nil, où les habitants ont la réputation d'être des magiciens.* (AFP, 3 août 1999)

Que nous dit Jacques Drillon sur la virgule ?

> Elle est le signe qui, plus que tous les autres, porte le sens à son suprême degré d'éclat [...] L'esprit du lecteur, malgré qu'on en ait, identifie instantanément l'endroit de la phrase où la virgule pourrait se placer. Est-elle présente, il en saisit le sens – pourtant divers. Est-elle absente, il en sait la raison.

LEAD À POINT-VIRGULE

> *Cargos détournés, repeints, rebaptisés, équipages passés par-dessus bord ; la multiplication des actes de piraterie contre des navires battant pavillon japonais a incité Tokyo à organiser une conférence qui a réuni récemment 17 pays de la région.* (*Le Point*, 12 mai 2000)

C'est la même recette que le lead à deux-points.

LEAD À POINT-VIRGULE/DEUX-POINTS

> *Deux adolescentes qui blessent grièvement un chauffeur de taxi de la banlieue de Tokyo en lui tailladant la gorge avec un couteau pour ne pas payer leur course ; un lycéen de quatorze ans qui poignarde mortellement une femme de quatre-vingts ans pour la voler : ces deux faits divers récents restent d'autant plus choquants, pour l'opinion japonaise, qu'ils sont relativement rares.* (*Le Monde*, 4 mars 1999)

Les trois derniers leads sont en fait des énumérations. Ils peuvent tout simplement être étiquetés comme étant des «leads à énumération», comme celui-ci :

> *853 déraillements en cinq ans, 236 pour la seule année 1982, quatre au cours du dernier mois, deux le week-end dernier, le chemin de fer canadien est de plus en plus en butte aux railleries.*
>
> (*Libération*, 18 janvier 1984)

Un certain sarcasme n'est pas interdit malgré le sérieux d'une nouvelle. Tout dépend, bien sûr, du contexte.

3.6. LA CARTE POSTALE A PRIS L'AVION

LEAD À POINTS DE SUSPENSION

> *Parasols... palmiers... marées hautes et basses... corps dorés et oisifs... petits nuages... grandes voiles... cerfs-volants... que c'est beau la vie !*

Voilà, c'est fait, votre carte postale a enfin pris l'avion. Avant vous ! Vous avez décrit en quelques lignes vos vacances à la plage. Une série de mots ou d'expressions séparés par des points de suspension donne le ton à celui qui vous lit. Ce lead, à énumération, est également appelé «lead en staccato», en musique, c'est le passage joué en détachant les notes.

Jacques Drillon nous précise ceci sur les points de suspension :

> Ce signe [...] que Mallarmé, Claudel et Proust avaient en horreur [...] indique, comme son nom le laisse supposer, un suspens, qu'il soit du fait de l'auteur – qui ne finit pas sa pensée –, ou d'un personnage qui ne finit pas la sienne ; il a enfin une valeur purement typographique.

Les points de suspension peuvent exprimer un sous-entendu, l'abrègement ou encore l'attente, ajoute l'auteur du *Traité de la ponctuation française* (Gallimard, 1991). Enfin, avec ce signe, «[...] le récit avance par bonds et reptation soigneusement ordonnés ; le lecteur ne souffle jamais : on ne lui en laisse pas le temps ; les rafales succèdent aux rafales, et il court derrière l'auteur, à en perdre haleine».

LEAD À CITATION DIRECTE

> *« Je suis votre Dieu et dans quinze jours vous m'obéirez comme des brebis », a déclaré le nouveau directeur du pénitencier de Son-Song, le jour de sa nomination.*

ou

> *« Les gens veulent avoir l'air sportif mais, bien souvent, ils détestent la culture physique », a déclaré l'inventeur du t-shirt tissé avec des taches de transpiration autour du col.*

Les six questions ne sont pas au rendez-vous. Elles ne doivent pas obligatoirement l'être. Dans ces deux exemples, retenez surtout ceci : un lead à citation directe doit avoir un ingrédient dramatique, étonnant, pathétique, humoristique. Il doit accrocher le lecteur.

Que nous disait d'ailleurs François Mauriac, dans *Bloc-Notes* ?

> Un bon journaliste est d'abord un homme (ou une femme) qui réussit à se faire lire [...] C'est celui qui retient le lecteur malgré lui, qui le raccroche en quelque sorte [...] Il ne faut pas que l'article soit un soliloque, un remâchement, un ruminement de ses propres idées, il faut que le journaliste tienne par le bouton de sa veste un interlocuteur invisible et s'efforce de le convaincre. Le bon journaliste relève du dialogue.

Si la fonction « témoignage » d'une citation est importante, il faut se méfier des citations verbeuses. Si la citation n'est pas claire, limpide, elle détournera l'ami lecteur de toute envie de se plonger dans votre texte.

Voici un tel lead :

> *« Plus de jeunes ont été arrêtés à Wantaï l'an dernier que pendant n'importe quelle autre année et des enquêtes démontrent que le laxisme des parents en est la cause principale », a déclaré lundi le juge Alphonse Sanscœur du Tribunal de la jeunesse.*

LE LEAD À CITATION INDIRECTE

Gardons le sens de ce message « précieux » et paraphrasons :

> *Le taux de criminalité chez les jeunes est en croissance rapide à Wantaï, selon le juge Alphonse Sanscœur du Tribunal de la jeunesse, qui attribue cette hausse au laxisme des parents.*

Chaque fois qu'une citation est verbeuse, « traduisez » et transformez-la en citation indirecte.

Il aurait bien sûr été préférable de citer directement le juge s'il avait dit clairement ceci :

> *« Il faudrait emprisonner les parents dont le laxisme est la cause de la hausse de criminalité à Wantaï », a soutenu lundi le juge Alphonse Sanscœur du Tribunal de la jeunesse.*

LE LEAD DIALOGUÉ

C'est un lead à citation directe, doublé d'une ou d'autres citations. Cela donne beaucoup de saveur dans un texte d'intérêt humain :

> *« Les pépites d'or étaient grosses comme des huîtres ! »*
> *« Oui mais elles étaient fausses ! »*
> *« Qu'importe, elles nous ont permis de rêver un peu ! »*
> *Deux vieux cambrioleurs de Wantaï, âgé l'un et l'autre de 100 ans, se rencontraient pour la première fois depuis 60 ans à l'occasion de la réunion de l'Association des voleurs tenue dans l'île ce week-end.*

LE LEAD QUESTION

> *Quelle est la première dépense envisagée par une retraitée qui vient de gagner un million de dollars dans une machine à sous à Las Vegas ?*
> *Mme Yvette Lafortune, 75 ans, qui tous les ans faisait religieusement en roulotte le long voyage vers la capitale mondiale du jeu, a décidé de s'acheter un portefeuille en peau de lapin.*

Personne n'aime attendre dans les limbes de l'incertitude. Dans ce monde qui ne veut plus se poser de questions, un tel lead n'est bon que si la réponse est originale, humoristique, étonnante... La réponse doit interpeller le lecteur.

Rappelez-vous ce bref dialogue placé de Sacha Guitry dans *Si Versailles m'était conté* :

MME DE MAINTENON — Vous implorez le Ciel ?

LOUIS XIV — Non, j'admire le plafond.

Ou ce télégramme de Victor Hugo à son éditeur à qui il avait envoyé le manuscrit des *Misérables* :

— ?

— !

LE LEAD UN, DEUX, TROIS, QUATRE

Il peut y avoir dans votre message plusieurs éléments de nouvelle qui méritent chacun une importance semblable. Les lister 1-2-3-4 (n'allez surtout pas jusqu'à dix !) permet d'accentuer chaque paragraphe :

> *Les agences de pompes funèbres de Saint-Pierre ont décidé hier d'entrer dans l'ère de la « qualité totale », en votant les mesures suivantes :*
>
> *1. se doter d'un réseau informatique afin d'éviter les embouteillages de cercueils ;*
>
> *2. faire passer le temps des déclarations de décès de soixante à dix minutes ;*
>
> *3. placer des téléphones cellulaires dans les tombes de ceux qui n'ont pu en avoir de leur vivant ;*
>
> *4. augmenter la durée de fraîcheur des fleurs en simulant la lumière du jour à l'aide de chalumeaux.*

LE LEAD CONDENSÉ

C'est une autre façon d'utiliser le même contenu d'information que ci-dessus. Concocter le tout en un seul paragraphe très chargé. Avantage : utilisation de moins d'espace. Désavantage : perte d'impact pour du matériel important qui aurait été plus facile à lire en phrases courtes. Une phrase trop longue (à la Balzac !) ne sera pas toujours bien enregistrée par votre fidèle lecteur.

Voici le lead condensé :

> *En vue d'entrer dans l'ère de la « qualité totale », les agences de pompes funèbres de Saint-Pierre ont décidé hier d'éviter les embouteillages de cercueils grâce à un réseau informatique, de réduire le temps des déclarations de décès de soixante à dix minutes, de placer des téléphones cellulaires dans les tombes de ceux qui n'ont pu en avoir de leur vivant et d'augmenter la durée de fraîcheur des fleurs en simulant la lumière du jour avec des chalumeaux.*

LE LEAD À CONTRASTE

Il y a souvent, ici et là dans la vie, une image contrastante à consigner sur papier. Il suffit d'ouvrir les yeux et de tendre l'oreille:

> *Arthur Beleau, entré au service de Miamiam comme balayeur il y a un demi-siècle, est devenu hier le nouveau directeur de cette entreprise d'alimentation.*

3.7.   VOLUPTÉ INTELLECTUELLE

LE LEAD EN APOSTROPHE

Il s'adresse directement à Monsieur et Madame Tout-le-Monde et à recours au «vous» et au «tu». Le lecteur est interpellé, apostrophé.

> *Si vous êtes fermement convaincu comme Baudelaire que «tout homme bien portant peut se passer de manger pendant deux jours – de poésie, jamais», vous serez alors nombreux à venir écouter le poète Rime dont les vers vous procureront une véritable volupté intellectuelle.*

LE LEAD DESCRIPTIF

Un témoignage vivant peut servir d'entrée en matière à une description claire qui aidera le lecteur à visualiser la situation. Le recours au présent donne automatiquement une note de fraîcheur. Les choses ont lieu au moment où vous les lisez:

> *Les cris joyeux de deux enfants sautant sur les marches du monastère de Sighisoara, «la perle médiévale de Transylvanie», s'écrasent sur les murs immaculés du sous-sol de la minuscule taverne où le vieux Willie, seul devant sa bière, bondit soudain tel un pur-sang qu'on éperonne.*

LE LEAD LÉGER OU PARODIQUE

> *Le charme discret de la bourgeoisie sous lequel se cachait Marc Lemoine depuis des années en se faisant passer pour un médecin à la retraite a mystifié tout le village.*

Comme le lead descriptif, ce lead n'est pas direct et se retrouve le plus souvent dans des reportages qui font «pleurer dans les chaumières». Nous aborderons ce type de leads au chapitre 6.

LE LEAD NÉGATIF

Nous verrons au chapitre 4 que personne n'aime lire une «non-nouvelle», il faut donc éviter la négation dans un lead. Sauf lorsque la négation permet d'accentuer, de renforcer une nouvelle :

> *Un couple qui ne désespérait pas d'avoir un garçon après trente ans d'efforts infructueux récompensés par quinze belles filles, a été comblé, hier, par la naissance non pas d'un, mais de trois petits garçons.*

LE LEAD DES « PAS »

À petits pas, vous martelez l'esprit du lecteur :

> *Pas de soins à domicile, pas d'interventions chirurgicales, pas d'admission aux services d'urgence, pas de services ambulanciers ; si aujourd'hui tout va mal dans les hôpitaux, de quoi demain sera-t-il fait, s'interrogent les Tigucigalpéens.*

LE LEAD À CLAUSE CONDITIONNELLE

> *Grâce à une mémoire photographique très développée, Pierre Cliché pourrait identifier le voleur de la banque où il était client il y a quinze ans mais il lui faudrait pour cela quitter l'hôpital où il serait soigné pour une commotion cérébrale.*

Ayez recours au conditionnel si vous n'êtes pas sûr des faits. Mais faites-le avec parcimonie : le conditionnel dans un lead n'est pas très prisé.

LE LEAD À L'INFINITIF

> *Améliorer les conditions de circulation, tel est l'objectif de plusieurs mesures votées hier par le conseil de ville de Saint-Glinglin.*

Ce type de leads est très couru par les journalistes car il va droit au but.

LE LEAD À CHIFFRES

Trop de chiffres assomment le lecteur à moins qu'ils parlent d'eux-mêmes :

> *Un Mongorien surnommé le « criminel aux mille visages », a été condamné à mort pour trois meurtres, douze enlèvements, quatre viols et six adultères et sera prochainement décapité en public, a rapporté dimanche le journal gouvernemental Grands Yeux.*

LE LEAD DES « IL Y A CEUX QUI »

> *Il y a ceux qui en boivent trop, ceux qui ne veulent plus en boire, ceux qui hésitent à en acheter et, enfin, ceux qui font eux-mêmes leur propre absinthe, interdite depuis belle lurette sur tous les marchés.*

Beaucoup de « qui » certes, mais cela donne un certain ton au lead... qui doit intriguer pour captiver.

LE LEAD DES « POUR »

> *Pour échapper aux contractions douloureuses pendant son accouchement, pour éviter de recevoir une anesthésie générale, pour ne pas avoir à payer la facture de son hospitalisation, une quinquagénaire de Wantaï s'est jetée hier du sixième étage de la maternité.*

Là aussi le lead martèle l'esprit du lecteur... sans trop l'assommer.

LE LEAD DES « ON A BEAU ÊTRE »

> *On a beau être l'un des Américains les plus célèbres, anciennement l'un des plus puissants gratifié du prix Nobel de la paix en 1973 pour avoir mis fin aux hostilités au Vietnam, on a beau être tenu pour un brillant esprit, essayiste de renom, grand analyste et fin stratège, on a beau être devenu l'un des conférenciers les plus prisés des publics les plus distingués, courir la planète, continuer de fréquenter les grands de ce monde et les grands hôtels, on a beau s'appeler Henry Kissinger – on n'est plus à l'abri pour autant d'imprévisibles mésaventures.*
>
> (Le Monde, 30 mai 2001)

La répétition voulue d'un même mot, d'une même expression, ajoute toujours quelque chose à l'expression d'une idée ou d'un sentiment. Après tout, le *Boléro* de Ravel (qui aurait souffert de la maladie d'Alzheimer) ne répète-t-il pas dix-huit fois la même mesure ? Tout est une question de dosage. Il faut savoir tempérer ses techniques.

3.8. DES ÉTOILES DANS LE CIEL

Il y a autant de types de leads qu'il y a d'étoiles dans le ciel. Ou presque. Chaque fois que la crise créatrice est au rendez-vous, un nouveau lead surgit. Un exemple ? Un lead à deux-points avec une citation :

> *Gérard Archambault sort d'un des seize réservoirs d'essence du CL-215, dépose ses gants, rajuste ses lunettes et dit timidement : « Superficiellement, je suis un gars heureux. Intérieurement, non. Parce qu'on ne peut être véritablement heureux lorsqu'on est seul. Lorsqu'on est nain. »*

L'important, c'est de choisir ses leads en fonction du sujet et de la matière traités.

Pour être efficace, un lead doit :

- faire ressortir l'information principale (en fonction du public) ;
- aller du spécial au général (plutôt que du général au spécial) ;
- hiérarchiser l'information (à l'aide de la pyramide inversée) ;
- poser un problème (plutôt que d'amener uniquement le sujet) ;
- susciter de l'intérêt (en étant convaincant et compris...) ;
- définir le type d'écriture à adopter ;
- définir l'angle de traitement (en fonction du sujet et du public) ;
- employer les mots justes (être explicite et économe) ;
- déterminer l'enjeu des mots dans le corps du texte ;
- s'adapter au récepteur ;
- clarifier une idée (et l'imager aussi) ;
- éviter tout suspense (grâce à la pyramide inversée).

Vous voulez éclairer un problème, faire le point, donner à comprendre, à voir? Le lead est toujours là pour vous aider. Une fois le lead couché sur le papier, le reste du texte coule de source.

Chacun de ces leads peut vous être utile dans toutes les situations.

Vous rêvez à de meilleures conditions de travail? Pourquoi pas un lead des «pas»?

> *Pas de vacances depuis deux ans, pas une seule absence en dix ans, pas un seul dimanche sans travailler; à ce rythme, Monsieur le Directeur, vous risquez de me perdre à jamais sans une hausse salariale de 30 %.*

Vous ne croyez pas avoir convaincu votre patron, alors essayez de le persuader avec ce lead des «pour»:

> *Pour avoir donné le meilleur de moi-même pendant toutes ces années, pour avoir fait passer les intérêts de notre compagnie avant ceux de ma propre famille, pour vous avoir toujours dit la vérité, Monsieur le Directeur, je suis aujourd'hui remercié par un licenciement aussi brutal qu'injuste.*

Ça ne marche toujours pas? Pourquoi pas un lead question?

> *Quelle sera ma première dépense lorsque je toucherai le chèque de l'assurance-emploi? Vous offrir une bonne boîte de cigares, Monsieur le Directeur.*

Ce dernier pense vraiment que vous vous payez sa tête, alors essayez ce lead à l'infinitif:

> *Augmenter les revenus de notre compagnie en diminuant tous nos frais, voilà mon but premier dès que vous m'accorderez une majoration salariale de 30 %, Monsieur le Directeur.*

Les variations de leads sont aussi nombreuses que le flux et le reflux de la mer que vous admirez lors des premières vacances enfin accordées par votre patron...

3.9.   LA RUÉE VERS L'OR

Les vacances sont malheureusement toujours très courtes et votre patron vous demande d'écrire 24 leads différents avant de daigner vous augmenter.

Que faut-il faire ?

Exercices 27 à 50

À partir du texte suivant, faites appel à votre imagination en rédigeant un lead à deux-points (Exercice 27), à plus d'un deux-points (Exercice 28), à virgules (Exercice 29), à point-virgule (Exercice 30), à point-virgule/deux-points (Exercice 31), etc. Inspirez-vous des 24 leads présentés plus haut.

Conrad Doré et Jos Leblanc ont quitté leurs fermes de Saint-Glinglin en 1898 pour se lancer dans la ruée vers l'or du Klondike.

Ils se sont installés avec dix pelles et cinq pioches, neuf pics et douze cordes, quatre paires de raquettes et douze revolvers, deux bibles, un crucifix et deux chapelets dans une cabane de bois rond perdue sous dix mètres de neige dans un pays où les blancs flocons tombaient tous les jours et où il faisait si froid que le café gelait dans les tasses en cinq minutes.

Ils n'ont pas trouvé d'or malgré tous leurs efforts. « Le seul or qu'on ait jamais vu, c'était au bureau de l'évaluateur », devait rappeler Conrad Doré à Jos Leblanc. Tous deux âgés de cent ans, ils se sont rencontrés pour la première fois depuis soixante ans à l'occasion du congrès de l'Association des aventuriers, tenu en Yakoutie ce week-end. À ce congrès assistaient également 150 propriétaires de mine prospères qui ont exploité 138 chefs de tribu au cœur de lion. Étaient aussi présents 1250 trappeurs et chasseurs vêtus de peaux de bêtes.

« Nous priions tous les soirs agenouillés devant le crucifix et invoquions même tous les saints. Nous cherchions aussi à nous faire pardonner tous nos péchés », se souvient pour sa part Leblanc.

« Avec tous nos péchés, je ne m'étonne pas que nous n'ayons jamais été exaucés », de répondre Doré qui a pris sa retraite après avoir travaillé un demi-siècle pour l'Armée du Salut.

Les deux vieux prospecteurs n'ont pas arrêté de chercher de l'or pendant dix ans et, même s'ils n'ont jamais été récompensés, ils n'ont aucunement perdu foi en leur bonne étoile.

> Le congrès de l'Association des aventuriers, qui a rassemblé quelque 1500 délégués des cinq continents, a clôturé ses deux jours de travaux en demandant à l'Assemblée générale de l'ONU de mettre tout en œuvre pour extirper le plus rapidement possible les mines antipersonnel placées dans tous les parcs nationaux de la planète, de démolir la tour d'observation de pingouins située à l'entrée de l'Antarctique, d'interdire le tourisme écologique en Amazonie et de construire un immense mur autour du désert de Gobi afin d'empêcher tout rallye automobile.

Tous les scénarios d'écriture sont possibles. Vous pouvez bien sûr inventer des mots, mais restez le plus possible fidèle au texte. Attention aux contresens… Au total, vous aurez fait cinquante exercices depuis le début de ce manuel.

Vous savez maintenant jongler avec tous les leads (rien ne vous empêche d'en inventer d'autres). Alors quel est finalement le meilleur des leads ? Il est court, respecte la syntaxe sujet-verbe-complément, dit tout en quelques mots. Dans les cas extrêmes, il se suffit à lui-même et n'a aucunement besoin de coiffer un texte :

> *S'il n'a pas été élu aux élections législatives polonaises, c'est en raison de son prénom, croit le candidat d'origine syrienne Djihad Razak.*
>
> (L'actualité, janvier 2002)

À l'heure du Net, les phrases deviennent de plus en courtes. Court ne signifie pas forcément creux. Le laconisme d'une phrase peut être compensé par son caractère poétique (voir chapitre 6). Une écriture concise et informative n'écarte pas d'office l'écriture imaginative, comme le montre l'agence de presse Reuters dans ce lead :

> *Du songe d'une nuit d'été à l'hiver du ressentiment, voilà qui pourrait résumer le ton du discours que prononcera mardi au Sénat le président de la Réserve fédérale, Alan Greenspan.*

On le voit, concision ne rime pas automatiquement avec style télégraphique. «Vous pouvez garder un style élégant sans tomber dans la sécheresse ou le verbiage», rappelle Yann Delacôte dans *Comment écrire efficacement*. (De Vicchi Poche, 1993)

Mais apprenez d'abord à écrire «synthétique». Le lead devrait avant tout être un solide produit de synthèse. C'est là le meilleur outil du journaliste, métier ô combien méprisé par Guy de Maupassant qui lança son héros Georges Duroy dans le journalisme parce que, dit-il, «n'importe qui peut devenir journaliste». Peut-être, mais encore faut-il savoir écrire un lead...

CHAPITRE

4

LES BONDS DU KANGOUROU

Le regard court. À droite, puis à gauche. Le balayage oculaire s'arrête sur un titre, un lead, un texte court, quelques mots qui font image. La page du journal est vite refermée avec ses 38 400 signes et ses 8 000 mots. Le lecteur est un kangourou. Il bondit d'une page à l'autre et que retient-il?

C'est ici que cette boutade d'un « illustre philosophe inconnu » prend tout son sens : la moitié des gens qui ont lu le journal n'ont pas vu l'article du journaliste, la moitié de ceux qui l'ont vu ne l'ont pas lu. La moitié de ceux qui l'ont lu ne l'ont pas compris. La moitié de ceux qui l'ont compris ne l'ont pas cru. La moitié de ceux qui l'ont cru n'ont aucune espèce d'importance.

Il ne fallait en tout cas pas compter sur Mère Teresa pour se tenir au courant de l'actualité. « Je ne lis jamais les journaux parce que je veux savoir la vérité », aimait rappeler celle qui compensait ce grand défaut par d'autres qualités qui feront d'elle une sainte, un jour ou l'autre.

Pour l'heure, la mairie de Calcutta aimerait rebaptiser une rue d'un quartier connu pour sa vie nocturne trépidante du nom de la religieuse albanaise, morte en 1997 dans cette mégapole indienne.

Si la sortie contre les journaux de la fondatrice des Missionnaires de la Charité ne fait pas très sérieux, aller dans une boîte de nuit située rue Mère-Teresa l'est encore moins.

Peu importe ce que l'on peut penser des médias, le journaliste, s'il est habile du stylo, ne doit pas se transformer en coq et trop déployer ses plumes car il ne sait jamais comment le récepteur capte son message. Qui a vécu quelque temps dans une basse-cour sait que le cri du coq en français n'est pas le même en néerlandais ou en japonais : cocorico/kukeleku/kokekokkoo.

L'écrivain, lui, vit le même dilemme. Jean Clément, professeur à l'Université de Paris VIII, nous rappelle ceci :

> Toute lecture est un parcours et tout lecteur avance dans le texte à lire en se frayant un chemin. Ce cheminement peut être allègre ou douloureux, il peut être direct ou sinueux, il peut emprunter des voies de traverse ou suivre la grand route tracée par la succession des pages du livre. Il y a autant de chemins que de lecteurs, et il y a mille façons de lire un livre. Je peux commencer par lire la table des matières, sauter la préface, parcourir distraitement des chapitres entiers, relire dix fois tel passage, reprendre ma lecture en arrière, bref aller « à sauts et à gambades » comme disait Montaigne. C'est ce vagabondage aux

allures diverses qui peu à peu construit le livre tel qu'il se tiendra dans ma mémoire et lui donne cette singularité qui n'est qu'à moi. »

(« Du texte à l'hypertexte : vers une épistémologie de la discursivité hypertextuelle », dans *Hypertextes et hypermédias : Réalisations, Outils, Méthodes,* Paris, Hermès, 1995)

Louis Timbal-Duclaux (*L'expression écrite, écrire pour communiquer*) ne dit pas autre chose :

Il existe de nombreuses manières de lire un texte. D'un seul coup ou par petites doses, intensément ou nonchalamment, en lecture discursive ou documentaire... Nous n'avons qu'à observer comment nous faisons nous-mêmes en tant que lecteurs. Le circuit de lecture est le chemin que suit le lecteur pour « se faire sa petite idée du contenu ».

N'étant pas maître du lecteur, nous devons nous accommoder de sa liberté. Et plutôt que de crier à la trahison nous devons faire en sorte que, malgré leur différent mode de lecture, tous ces lecteurs retirent du texte la même impression, le même message d'ensemble, même si certains ne connaîtront jamais les détails du raisonnement, les preuves et les justifications.

4.1. ALICE AU PAYS DES MERVEILLES

Les phrases courtes « captivent » toujours l'esprit du lecteur. Dans *Écrire pour son lecteur* (Lille, École supérieure de journalisme, Coll. « J comme journaliste », 1979), Loïc Hervouet nous signale ceci :

Les expériences sur la lisibilité et la mémoire montrent que dans une phrase de longueur moyenne (20 à 30 mots), le lecteur retient moins bien la seconde moitié que la première. Au-delà de 40 mots, une bonne partie de la phrase n'est plus mémorisée. Cela suffit à condamner dans la presse écrite les phrases de 50, 60 mots ou plus. On ne lit pas un journal comme on lit Marcel Proust. Dans *À la recherche du temps perdu*, il nous plonge dans une phrase de plus de... 420 mots !

Si le lecteur doit relire chaque phrase pour l'assimiler, son réflexe habituel est d'abandonner. Il ne s'ensuit pas qu'il faille adopter le style haletant, en phrases de moins de dix mots qu'ont choisi certains journalistes, et qui est fatigant lui aussi. Une alternance est nécessaire entre les phrases très courtes et les phrases plus longues. Mais 40 mots devrait être une limite.

Lewis Caroll l'avait bien compris : ses phrases dans *Alice au pays des merveilles* dépassaient rarement... vingt mots. Prenons un exemple au hasard :

> En cette belle après-midi de juin, le soleil plein d'ardeur resplendissait en un doux ciel azuré. Tout autour de la cité de Miltdown, ce n'étaient que joies champêtres, rires d'oiseaux et babillements de commères.

> Mister Hamington, le pasteur, avait laissé classe libre à ses élèves... « Pour qu'ils puissent à loisir étudier Mère nature à l'ouvrage en cette belle contrée », leur avait-il sentencieusement annoncé. Aussi, la petite Alice, munie de son herbier et de sa sœur, s'en allait étudier la photosynthèse, les cycles de l'azote et du carbone, la distribution stochastique des espèces dans le milieu sub-forestier, et l'équilibre de l'écosystème de la clairière avoisinante. Ce à quoi elle ajouta : « Trala lala ! »

> Vêtues toutes deux de leurs belles robes blanches, et arborant fièrement leur chapeau de paille enrubanné, elles sortirent du cottage familial, aux murs lactés et au toit de chaume. Gaiement, elles croisèrent Mister Timser le chaudronnier velu, ainsi que Miss Blendish, la simiesque gouvernante des Templeton. Enfin, elles laissèrent derrière elles les dernières masures du village [...]

4.2. WINSTON CHURCHILL

Nous vous suggérions, au chapitre 3, d'écrire vos leads en une seule phrase, n'excédant pas une quarantaine de mots parce que c'est là le plus court chemin pour muscler votre esprit de synthèse.

Si vous êtes un maître de la ponctuation, rien ne vous empêche d'offrir à vos lecteurs des leads aussi longs qu'une journée d'été au pôle Nord.

> *Le gouvernement Chrétien a déposé hier une seconde loi antiterroriste, la Loi sur la sécurité publique, qui modifie une bonne vingtaine de lois déjà en vigueur et qui a pour principaux objectifs de renforcer la sécurité dans les aéroports, de dissuader par des peines sévères les utilisateurs du transport aérien de faire de mauvaises plaisanteries ou de se laisser aller à la rage de l'air, de créer des zones de sécurité militaire là où il le juge nécessaire, de déclarer l'état d'urgence sans qu'il y ait guerre et d'obliger les compagnies aériennes à divulguer à l'avance aux autorités les listes des passagers à bord de certains vols.*

(*La Presse*, 23 novembre 2001)

Ou encore :

> *Notoirement complaisante à l'égard des nantis – les condamnés diplô-*
> *més de l'enseignement supérieur ont droit par exemple à une cellule*
> *spéciale –, la justice brésilienne a rendu, samedi 10 novembre à Brasilia,*
> *un verdict qu'il faut bien qualifier d'historique : par cinq voix contre*
> *deux, un jury de cour d'assises a en effet condamné quatre fils de la*
> *bonne société locale, âgés de vingt-deux à vingt-trois ans, à quatorze*
> *ans d'emprisonnement chacun pour le meurtre collectif, particulière-*
> *ment odieux, de l'Indien Galdino Jesus dos Santos, perpétré dans la nuit*
> *du 19 avril 1997 dans la capitale fédérale.*
>
> (Le Monde, 14 novembre 2001)

Un autre exemple de lead trop long ? Saviez-vous que La Bruyère était un amateur de prunes ? Il nous le dit en tout cas dans cette phrase :

> *Parlez à cet autre de la richesse des moissons, d'une bonne récolte,*
> *d'une bonne vendange : il est curieux de fruits ; vous n'articulez pas,*
> *vous ne vous faites pas entendre ; parlez-lui de figues et de melons, dites*
> *que les poiriers rompent de fruits cette année, que les pêchers ont donné*
> *avec abondance ; c'est pour lui un idiome inconnu ; il s'attache aux seuls*
> *pruniers, il ne vous répond pas ; ne l'entretenez pas même de vos pruniers :*
> *il n'a de l'amour que pour une certaine espèce, toute autre que vous lui*
> *nommez le fait sourire et se moquer ; il vous mène à l'arbre, cueille*
> *artistement cette prune exquise ; il l'ouvre, vous en donne la moitié et*
> *prend l'autre : « Quelle chair ! dit-il ; goûtez-vous cela ? Cela est-il divin ?*
> *Voilà ce que vous ne trouverez pas ailleurs » ; [...] Ô l'homme divin en*
> *effet ! Homme qu'on ne peut jamais assez louer et admirer ! Homme*
> *dont il sera parlé dans plusieurs siècles ! que je voie sa taille et son*
> *visage pendant qu'il vit ; que j'observe les traits et la contenance d'un*
> *homme qui seul entre les mortels possède une telle prune !*

Un lead beaucoup plus long ?

François Kersaudy, professeur à l'Université de Paris-1 Panthéon-Sorbonne, a écrit ceci sur Winston Churchill dans un dossier que consacrait *Historia* (juin 2000) à l'ex-premier ministre britannique :

> *Aristocrate anglais par son père, de mère américaine ayant du sang*
> *français et iroquois, il est « à moitié américain et cent pour cent anglais » ;*
> *enfant capricieux, agité, batailleur... et toujours en quête d'affection ;*
> *écolier qui se distingue par son indiscipline, son manque de ponctualité,*
> *son allergie aux mathématiques et aux langues, mais doté d'une*

prodigieuse mémoire et d'une imagination sans limites; adolescent méprisé et constamment rabroué par son père, mais qui vouera toute sa vie à ce père un véritable culte; rabaissé et humilié pendant sa jeunesse, mais ne doutant jamais de ses talents et de sa réussite finale; jeune homme malingre aux bronches fragiles, perpétuellement malade, mais champion de natation, d'escrime, de steeple-chase, de polo et de tir; fasciné par le danger, courageux jusqu'à la témérité, échappe quinze fois à la mort d'extrême justesse; consomme quotidiennement des doses vertigineuses de champagne, vin blanc, whisky, porto, sherry et cognac, sans effet perceptible sur ses capacités physiques et intellectuelles; de nature optimiste et pugnace, mais sujet à de longs et fréquents accès de dépression; médite beaucoup, souvent à haute voix, mais ne supporte pas l'inaction; d'une ambition effrénée, mais sans un soupçon d'arrivisme; fils de lord et petit-fils de duc, il défonce les lords, « qui ne votent que pour défendre les intérêts de leur parti, les intérêts de leur classe, et leurs intérêts personnels », n'ayant jamais pu choisir entre le métier de soldat, de politicien et de journaliste, a exercé toute sa vie les trois à la fois; monstrueusement égocentrique mais extraordinairement généreux; affecté de bégaiement et de zézaiement, mais devient l'un des plus grands orateurs de l'histoire parlementaire britannique; adversaire acharné des Boers pendant la guerre d'Afrique du Sud, mais défenseur acharné des Boers après la guerre d'Afrique du Sud; nul en latin, mais toujours prompt à égrener d'interminables citations latines; travailleur solitaire, mais qui n'aspire qu'au travail d'équipe; ministre des Finances aussi populaire qu'incompétent, artisan du funeste retour à l'étalon or, et auteur de cette affirmation péremptoire: « Un bon impôt, ça n'existe pas ! »; vivant symbole de la démocratie, mais fasciné par l'autocratie; lutteur implacable qui adore la guerre, mais fait tout pour l'éviter avant qu'elle n'éclate, et n'aspire qu'à la réconciliation une fois qu'elle a cessé; partisan inconditionnel de l'offensive, mais qui ne donne sa pleine mesure que dans la défensive; maître de tactique militaire, mais stratège amateur, tantôt inspiré et tantôt catastrophique; pionnier de l'aviation de bombardement en 1914, mais refuse de croire en 1939 que les navires sont vulnérables aux bombardiers en piqué; déteste mentir, physiquement incapable de garder un secret, conspirateur exécrable, mais devient le gardien des plus lourds secrets du siècle: le radar Ultra et la bombe atomique; combattant intrépide, mais d'une timidité maladive avec les femmes; athée résolu, mais persuadé de bénéficier d'une protection divine; de goûts modestes, sait toujours se contenter de ce qu'il y a de mieux; dort dans l'après-midi, veille la nuit, et passe davantage de temps dans sa baignoire que n'importe quel mortel ordinaire; prompt à s'emporter, mais ignorant la rancune; d'une loyauté absolue envers les amis, même ceux qui l'ont trahi; capable d'inventions farfelues un jour, géniales le lendemain; historien de talent, narrateur incomparable et admirablement documenté, mais peu enclin à la nuance et sans conception de la complexité des caractères; capable d'écrire les plus belles phrases de la langue anglaise depuis Gibbon et Macaulay, mais n'a jamais su où placer les virgules; romantique et idéaliste, prend ses désirs pour des réalités, est extraordinairement distrait, mais a des visions fulgurantes du passé comme de l'avenir; ennemi mortel du communisme, mais s'engagera à fond pour aider l'Union soviétique après le 22 juin 1941; a dominé la scène politique britannique pendant plus d'un demi-siècle, sans présenter aucune des caractéristiques du politicien traditionnel (réalisme, connaissance du peuple, psychologie, démagogie); de peau si délicate qu'il ne peut porter que des sous-vêtements de soie, mais vivant parfaitement à l'aise pendant des mois dans la boue et la pourriture des tranchées de Flandre en 1916; chante abominablement faux, mais est extrêmement sensible à la musique des mots et à l'harmonie des phrases; d'origine aristocratique, mais supporte mal l'injustice sociale, et apprécie nettement moins ses privilèges en s'apercevant de la misère qui l'entoure; pur produit de l'Angleterre victorienne, est persuadé de la mission civilisatrice de l'Empire britannique, mais le fanatisme le déconcerte, le racisme lui est étranger, et l'antisémitisme lui fait horreur; généreux et prompt à pardonner, mais fervent partisan de la peine de mort pour les criminels endurcis; toujours disposé à négocier et à discuter, pourvu que l'on finisse par se ranger à son avis; intimement persuadé de son bon droit, surtout lorsqu'il est conscient d'avoir tort; encense Mussolini en 1927, et le fustige en 1937; admire et soutient le général de Gaulle, mais veut le liquider politiquement dès qu'il échappe à son influence; ardemment royaliste et férocement anticommuniste, mais soutient en Yougoslavie le communiste Tito contre le royaliste Mihailovitch; pense pouvoir influencer Staline et Roosevelt, mais se laisse fréquemment manœuvrer par eux; chasseur enthousiaste, mais ne peut vivre qu'entouré de centaines d'animaux, dont la mort le laisse inconsolable; époux fidèle et sentimental, mais d'un égocentrisme forcené; père de famille affectueux et attentionné, mais qui n'a jamais eu le temps de s'occuper sérieusement de ses enfants; grand ami de la France, mais qui n'hésitera pas à envoyer sa flotte par le fond à Mers-el-Kébir; a acquis grâce à sa plume des sommes colossales, immédiatement englouties par un train de vie de grand seigneur et des spéculations hasardeuses; personnage attachant, qui peut passer sans transition d'une candeur désarmante à une mauvaise foi tonitruante; gentleman-farmer catastrophique, mais maçon virtuose; peut être charmant avec ses secrétaires, assistants et domestiques, mais est le plus souvent capricieux, coléreux et tyrannique; vaniteux comme un paon, adore les beaux uniformes et les tenues de gala, mais peut aussi recevoir ses hôtes en robe de chambre ou en bleu de chauffe; retourne une phrase six mois dans sa tête et l'essaye un an sur son entourage, avant de la prononcer dans un discours comme s'il venait juste de la composer; invraisemblable touche-à-tout, capable de se muer en directeur de journal lorsqu'il est ministre des Finances, ou en général de brigade lorsqu'il est ministre de la Marine, et peut faire construire des tanks par l'amirauté ou des avions de chasse par un magnat de la presse, se désintéresse de l'art, mais peint de splendides tableaux; apprend à piloter, mais reste « le plus mauvais conducteur d'Angleterre »; « à deux cents idées par jour, dont deux seulement sont bonnes... mais il ne sait jamais lesquelles » (Franklin Roosevelt); désespérément sentimental, prompt à pleurer et s'attendrir, mais capable des calculs les plus froids et des résolutions les plus implacables; entièrement réfractaire aux mathématiques et au raisonnement scientifique, mais fasciné par la science, les graphiques et les statistiques; passe pour un ennemi juré de la classe ouvrière, mais est l'un des pères de la législation sociale britannique; manque totalement de psychologie, mais sait d'instinct s'entourer de gens utiles et compétents; stratège amateur mais inspiré, qui néglige souvent l'ensemble au profit du détail; n'a guère la notion du possible et est toujours prêt à abandonner la stratégie pour se mêler de tactique, ou pour plonger personnellement dans la bataille; a écrit sur la Première Guerre mondiale « une autobiographie déguisée en histoire de l'univers »; a récidivé en écrivant l'histoire de la Seconde Guerre mondiale; organisateur incomparable, mais perpétuellement distrait et ignorant superbement la ponctualité; bavard, vantard, prétentieux, obnubilé par ses idées et indifférent à celles des autres, mais possède une aptitude surprenante à se faire des amis fidèles et dévoués; ennemi juré de l'Allemagne pendant deux guerres mondiales; député renfrogné et dépressif, mais qui érige l'humour en arme absolue dans le discours parlementaire; quitte le parti conservateur pour rejoindre le parti libéral, quitte le parti libéral pour retrouver le parti conservateur, quitte le parti conservateur pour entrer dans l'opposition, quitte l'opposition pour entrer dans le gouvernement conservateur, transforme le gouvernement conservateur en gouvernement de coalition... et devient peu après chef du parti conservateur; ministre exerçant ses fonctions avec zèle, mais cherchant constamment à exercer celles de ses collègues par la même occasion; Premier ministre qui est un chef d'orchestre incomparable, mais descend perpétuellement de son pupitre pour jouer la partition du violoniste ou celle du trompettiste... et prétend continuer à diriger l'orchestre en même temps; lauréat du prix Nobel de littérature 1953, auquel son père écrivait six décennies plus tôt: « Je te renverrai ta lettre, pour que tu puisses de temps à autre revoir ton style pédant d'écolier attardé »; vieil homme inusable, que ses jeunes assistants s'essoufflent

> *à suivre dans ses déplacements ; a traversé des épreuves terrifiantes, pris des risques effarants, et bénéficié toute sa vie d'une chance parfaitement anormale...*
>
> *Sous toute cette masse de contradictions apparentes, il existe de nombreuses clés pour comprendre sir Winston Spencer Churchill. Si elles n'ouvrent pas toutes les portes, c'est que chaque homme garde sa part de mystère. Mais suivre pas à pas, depuis la prime jeunesse, les péripéties de cette fabuleuse existence, c'est à coup sûr enrichir la sienne...*

Belle prose n'est-ce pas ? Mais l'on risque de s'étrangler en lisant d'un seul trait ces beaux mots même s'ils sont admirablement balisés par une ponctuation sans faille. Comme nous vous le suggérions au premier chapitre, ne chargez jamais votre lead. La pyramide inversée est là pour vous aider à faire des leads courts.

4.3. LE BONHEUR DE TOUS

Pour lire un lead hyper chargé il faut vraiment qu'il soit hyper important, *La Déclaration des droits de l'homme et du citoyen*, par exemple :

> *Les représentants du peuple français, constitués en Assemblée nationale, considérant que l'ignorance, l'oubli ou le mépris des droits de l'homme sont les seules causes des malheurs publics et de la corruption des gouvernements, ont résolu d'exposer, dans une Déclaration solennelle, les droits naturels, inaliénables et sacrés de l'homme, afin que cette Déclaration, constamment présente à tous les membres du corps social, leur rappelle sans cesse leurs droits et leurs devoirs ; afin que les actes du pouvoir législatif, et ceux du pouvoir exécutif pouvant à chaque instant être comparés avec le but de toute institution politique, en soient plus respectés ; afin que les réclamations des citoyens, fondées désormais sur des principes simples et incontestables, tournent toujours au maintien de la Constitution et au bonheur de tous.*

Voici un lead chargé que nous allons « dégraisser » :

> ✗ *Le visage violacé par le froid extrême qu'elle a enduré pendant sa fuite dans les montagnes, les mains et les pieds emprisonnés dans des bandages serrés, Laïla grimace de douleur, se gratte l'orifice où se trouvait l'oreille qu'elle a perdue à cause du froid et réussit néanmoins à esquisser un pâle sourire en racontant son périple d'une semaine en marchant en file indienne avec un groupe de réfugiés du Kokovo, un bras tendu,*

la main posée sur l'épaule du précédent : « Je suis vivante ! », dit-elle au poste de police où on lui a confisqué l'argent et les objets de valeur qu'elle avait sur elle « par mesure de sécurité ».

L'opération de « dégraissage » donnerait ceci :

✔ *Le visage violacé par le froid extrême, les mains et les pieds emprisonnés dans des bandages serrés, une oreille perdue à cause du froid, Laïla grimace de douleur puis esquisse un pâle sourire en racontant sa marche d'une semaine dans les montagnes avec des réfugiés du Kokovo : « Je suis vivante ! », dit-elle.*

Un mot sur deux est toujours de trop. Les détails du premier lead peuvent très bien se retrouver dans un second paragraphe (sublead) qui pourrait être le suivant :

Un bras tendu, la main posée sur l'épaule du réfugié précédent, Laïla a traversé les montagnes en file indienne pour se retrouver dans un poste de police où on lui a confisqué l'argent et les objets de valeur qu'elle avait sur elle « par mesure de sécurité ».

Règle générale, lorsque vous ne pouvez tout mettre dans le lead, placez l'information la moins importante dans le paragraphe suivant, dans le sublead.

Ainsi :

✘ *La puissante commission des affaires étrangères du Sénat américain, au terme d'une longue enquête réclamée par la minorité démocrate, s'est prononcée, mardi à Washington, pour l'arrêt immédiat de toute aide américaine au Baluzisthan, estimant que « les droits de l'homme sont systématiquement violés » dans ce pays.*

devient :

✔ *Une commission sénatoriale américaine a recommandé mardi à Washington l'arrêt immédiat de toute aide américaine au Baluzisthan, estimant que les droits de l'homme y sont « systématiquement violés ».*

Sublead – *La puissante commission des affaires étrangères s'est prononcée en ce sens au terme d'une longue enquête réclamée par la minorité démocrate du Sénat américain.*

À vous de « dégraisser » ce lead :

Exercice **51**

> *Depuis son « apparition » dans une pièce de théâtre de l'auteur tchèque Karel Capek (1890-1938), le robot a toujours été présenté, notamment dans les romans de science-fiction, à l'image de l'homme et malgré de multiples tentatives, nous n'avons jamais réussi à lui donner une réelle apparence humaine quoiqu'en privilégiant l'imitation des fonctions de certaines parties du corps comme les mains, des robots à usage industriel répétant les mêmes gestes que ceux des ouvriers sur les chaînes de fabrication ont été créés dans les années 60.*
> (Nihon Keinzai Simbun, le plus important quotidien financier japonais, tiré du *Courrier International*, 21 mai 1999)

Avant d'être écrivain, Ernest Hemingway a été journaliste. C'est le *Kansas City Star* qui le forma et lui apprit à maîtriser ses leads. « Employez des phrases courtes, prescrivait le précis de style du journal. Que les premiers paragraphes soient courts. Utilisez une langue énergique. Soyez positifs, évitez le négatif. » Ce style direct et sans détours, l'auteur des *Neiges du Kilimandjaro* l'a longtemps utilisé avant de plonger dans la littérature.

4.4. DE GRANDES ENJAMBÉES ET UNE PETITE MÉMOIRE

Lire un livre ou un journal, c'est bien souvent kif-kif bourricot, bonnet blanc, blanc bonnet, la même chose. C'est la méthode des grandes enjambées.

Lorsque dans les deux cas la lecture est panoramique, on est tel un pêcheur de perles : à la première plongée il n'y a pas de pierres fines ; après plusieurs plongées, on risque de trouver les bancs les plus précieux. Dans un article de journal cependant, le lecteur veut rapidement trouver ces « bancs les plus précieux ». Offrez-lui donc un collier de perles en lui présentant un lead où les mots sont bien enfilés !

Jules Renard aimait rappeler ceci : « J'ai une mémoire formidable, j'oublie tout. » Eh bien le lecteur est un peu comme cet écrivain français : il ne retient pas grand-chose de sa lecture qu'elle soit panoramique ou analytique. Tous les sondages le montrent : le déchet de lecture frise, bien souvent, les 80 %.

La mémoire est capricieuse, c'est une de ses marques de commerce. Dans un article sur la mémoire, Michel de Procontal se demande : « Pourquoi donc la mémoire flanche-t-elle si souvent ? »

Voici comment il commence son « papier » paru dans *Le Nouvel Observateur* du 15 au 21 août 1996 :

> Comment s'appelait ce film ? Un Hitchcock avec Grace Kelly et Cary Grant... Voyons, dans *Fenêtre sur cour*, c'est James Stewart qui joue avec Grace. Il y a bien Cary Grant dans *La Mort aux trousses*, mais la fille s'appelle Eva... Eva Marie Saint, voilà. *Vertigo* ? C'est la rousse avec des gros seins que Hitchcock n'aimait pas, Kim Novak, elle a remplacé Vera Miles qui était enceinte... Alors ? *L'homme qui en savait trop* ? Non, c'est James Stewart et Doris Day. Fichue mémoire, pas moyen de retrouver le couple Kelly-Grant ! Pourtant, ils ont joué ensemble, ça ne ferait pas l'ombre d'un doute...
>
> Qui n'a jamais ressenti l'angoisse du cinéphile perdu dans le labyrinthe des références ?
>
> [...] le cerveau réévalue constamment les souvenirs, les réorganise, les valorise différemment selon les circonstances. Ce faisant, il trie, sélectionne, élimine parfois [...] Pour qu'un souvenir ne change pas, il faudrait qu'il ne se soit rien passé depuis, que le temps se soit arrêté. Et que l'auteur de ces lignes soit resté celui qu'il était le jour où il est allé voir le film d'Hitchcock intitulé *La Main au collet*. Avec qui, déjà ?

Vous avez noté la jolie « chute » de l'article. C'est une conclusion en boucle qui répond à la question du lead tout en faisant un clin d'œil au lecteur avec la même interrogation.

Malgré tous les efforts des neurobiologistes, on ne sait pas comment se forment les souvenirs. Tout le monde n'est pas Marcel Proust (« Je portai à mes lèvres une cuillerée du thé où j'avais laissé s'amollir un morceau de madeleine... ») et tout le monde ne déguste pas une madeleine en se levant le matin...

Heureusement que Balzac est (encore) là, lui qui, dans *Le Lys dans la Vallée*, nous dit :

> Ce fut la seule fois que j'entendis cette caresse de la voix, le tu des amants ; je regardai les haies couvertes de fruits rouges, je contemplai la troupe des vendangeurs, la charrette pleine de tonneaux et les hommes chargés de hottes. Ah ! je gravais tout dans ma mémoire, tout jusqu'au jeune amandier sous lequel elle se tenait.

Nous passons aujourd'hui pas moins de cent jours et cent nuits annuellement en compagnie des médias écrits et électroniques. Mais que retenons-nous ?

Notre mémoire immédiate nous permet de garder impressionnés pendant quelques secondes les mots que nous venons de lire. Notre mémoire à moyen terme nous autorisera à redire le message reçu en le traduisant dans nos propres mots.

Quant à notre mémoire à long terme, elle nous offre quelques miracles en nous permettant, par exemple, de nous souvenir trente ans plus tard d'un poème... ou d'un lead !

Dans tous les cas, notre mémoire est généralement « fluide et vaporeuse comme les nuages », nous dit Elizabeth Loftus, psychologue spécialiste de la malléabilité de la mémoire, dans son livre le *Syndrome des faux souvenirs et le mythe des souvenirs refoulés* (Paris, Éditions Exergue, 1991).

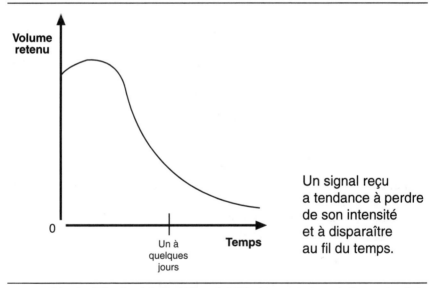

Un signal reçu a tendance à perdre de son intensité et à disparaître au fil du temps.

Source : D'après Gilles Ferréol, Noël Flageul, *Méthodes et techniques de l'expression écrite et orale*, Paris, Armand Colin, 1996, p. 34.

« Pour lutter contre cette déperdition et consolider les acquis, deux moyens sont à notre portée : faire en sorte que, dès le départ, ce qui est utile soit "stocké" et qu'ensuite la décroissance soit la plus lente possible », nous disent Ferréol et Flageul.

Le récepteur retient d'autant plus facilement votre message que votre lead est bien structuré, vos informations bien classées et vos paragraphes bien agencés suivant le cheminement logique de la pyramide inversée.

4.5.   « LE BON DIEU EST DANS LE DÉTAIL »

« En bien des points, le fonctionnement de la mémoire humaine ressemble à celui d'une bibliothèque », croit Alan Badelley, professeur de psychologie à l'Université de Cambridge, en Grande-Bretagne.

« Tout comme une bonne bibliothèque, une bonne mémoire exige que le matériel soit bien encodé, qu'il ne se détériore pas au fil du temps et qu'on puisse y accéder convenablement en temps voulu », devait-il déclarer au *Monde* (édition du 12 octobre 1997).

Quelle que soit la complexité du sujet, ce que vous voulez dire peut toujours se formuler en une seule phrase. C'est votre lead ! Tout votre texte sera jugé (et donc mémorisé !) en une dizaine de secondes et sur une vingtaine de mots. Voici ce que nous dit saint Luc, i56 : « Marie demeura avec Elisabeth environ trois mois et s'en retourna chez elle. » Tout est là. Tout est dit. Toutes les conclusions seront tirées de l'information exposée dans le lead. Si l'on a toujours trop à dire, il faut choisir l'angle qui sera privilégié.

« Le bon Dieu est dans le détail », disait Gustave Flaubert. Oui. Placer toujours l'événement dans un cadre, avec les détails qu'il faut. « Pour bien savoir les choses, il faut en savoir le détail. » François de La Rochefoucauld (1613-1680) a certes raison, mais ne noircissez pas votre lead dans une montagne de détails.

> *Maistre Janotus, tondu à la Cesarine, et vestu de son lyripipion theologal, et bien antidoté l'estomach de coudignac de four et eau beniste de cave, se transporta au logys de Gargantua, touchant davant soy troys vedeaulx à rouge muzeau, et trainnant apres cinq ou six maistres inertes crottez à profit de mesnaige.*

Vous n'avez pas (bien) compris parce que c'est ainsi que François Rabelais écrivit son *Gargantua* en 1534.

En français moderne, cela donne :

> *Maître Janotus, tondu à la romaine, vêtu de sa longue robe théologale, l'estomac bien protégé de bon pain et d'eau bénite de cave, se transporta au logis de Gargantua, poussant devant lui trois bedeaux à museaux de veau bien rouges, et traînant cinq ou six maîtres ex-art bien crottés par souci d'économie.*

Trop de détails dans un lead finissent par perdre le lecteur et... embrouiller sa mémoire. Il faut savoir répartir les détails tout le long du texte pour qu'il puisse l'assimiler dans ses grandes lignes.

Alors, pour accroître la rétention d'un message (qui, par ailleurs, a le plus souvent d'effet lorsqu'il vient renforcer des opinions préexistantes), pour lutter contre la déperdition, il faut savoir dire ce qu'il faut dans un lead sans trop en dire.

4.6. CONFUCIUS ET LE SENS

Si les mots n'existent pas de façon anarchique, s'ils ne sont pas vraiment indépendants les uns des autres, ils entretiennent entre eux des réseaux de relations, des similitudes ou des différences (l'amitié ne peut se définir que par ce qui la distingue de l'amour, de la tendresse, de l'affection…), chaque mot dans un lead doit être pesé, soupesé, choisi à sa juste valeur. Il doit faire sens.

Qu'avait promis Confucius s'il accédait au pouvoir suprême ? « Si j'étais empereur, je commencerais par faire un dictionnaire, afin de rendre aux mots leur sens. »

Il faut, le plus possible, donner à voir dans ce monde de la transparence où tout doit être vu (souvent par le trou de la serrure !). Il est important d'avoir une image visuelle de votre récit avant même de construire votre lead. Un mot bien choisi peut, non seulement faire image, mais aussi faire gagner une phrase entière d'explications. Mais attention, si les mots imagés ont le grand avantage de concrétiser un message en le rendant vivant et plus proche du lecteur, ils sont aussi bien souvent les plus creux. Misez d'abord et avant tout sur l'économie syntaxique du lead, sur son efficacité plutôt que sa sonorité. Votre lead doit être plus instrumental que littéraire.

Parce que tout langage contient toujours sa part d'ambiguïté et de redondance, il est important de choisir les mots justes pour atteindre son lecteur. N'oubliez pas ce conseil de l'écrivain Colette : « Un mot n'est juste qu'en fonction des mots qui l'entourent. »

Et quel est le meilleur outil pour répondre aux contraintes de l'écriture ?

Vous l'avez compris : quoi que nous fassions, quoi que nous disions, nous revenons toujours à la case départ. Au lead. Les mots doivent être bien choisis mais aussi bien répartis. Ainsi, les mots les plus importants devraient toujours « ouvrir » le lead. Nous l'avons déjà dit, mais ne vaut-il pas mieux se répéter que se contredire ?

Faisons ici appel à Gustave Flaubert qui, dans *Salâmmbo,* nous plonge dans le « lead » suivant au chapitre premier :

> *C'était à Mégara, faubourg de Carthage. Dans les jardins d'Hamilcar, les soldats qu'il avait commandés en Sicile se donnaient un grand festin pour célébrer le jour anniversaire de la bataille d'Eryx. Et, comme le maître était absent et qu'ils se trouvaient nombreux, ils mangeaient et ils buvaient en pleine liberté.*

La première phrase situe le lecteur. La seconde le plonge dans une scène. La troisième lui précise pourquoi un tel festin est possible : le maître est absent !

En d'autres termes, quand le chat n'est pas là, les souris dansent ! Si nous devions faire ressortir les mots les plus importants dès le départ, cela donnerait :

> *En l'absence de leur maître Hamilcar, ses nombreux soldats commandés en Sicile mangeaient et buvaient en pleine liberté dans ses jardins à Megara, faubourg de Carthage, lors d'un grand festin pour célébrer le jour anniversaire de la bataille d'Eryx.*

4.7.   L'OBJECTIVITÉ DES FAITS

Faites parler les faits. Ils sont sacrés. Misez sur l'objectivité des faits, même si l'objectivité est sûrement un ramassis de subjectivités. « Montrez-moi un homme qui prétend être objectif et je vous montrerai un homme avec des illusions », aimait rappeler à ses journalistes Henry R. Luce, le fondateur du magazine *Time.*

Toujours est-il qu'il est préférable d'informer sans s'impliquer (cueillette de l'information) et de s'impliquer sans déformer (commentaire de l'information). Le mariage des genres n'est jamais heureux. Il est à éviter.

Pour le « columnist » américain Joe Kraft, mort en janvier 1986, « le jugement s'exprime davantage dans la mise en perspective des faits que par la formulation sentencieuse d'une opinion ».

La transmission d'une information sur un même sujet varie d'un média à l'autre, selon la mise en perspective des faits. Voici une même nouvelle en date du 10 janvier 2002 vue par deux quotidiens montréalais et une agence de presse :

> *Un détenu, Stéphane Labrie, 34 ans, a réussi à sauter d'une fenêtre d'un fourgon cellulaire qui le transportait au palais de justice de Montréal, hier matin, et s'est enfui sous le nez des agents des services correctionnels médusés.*   (La Presse)

> *Un détenu de la prison Rivière-des-Prairies qu'on emmenait au palais de justice de Montréal a réussi hier à s'évader du fourgon cellulaire juste avant d'arriver au palais.*   (Journal de Montréal)

> *Stéphane Labrie, 34 ans, une relation des Hells Angels dont le passé judiciaire est fort chargé en matière de vol qualifié, s'est évadé hier matin d'un fourgon cellulaire en route vers le palais de justice de Montréal.*
> (Presse Canadienne)

Les trois leads ont un traitement légèrement différent du même sujet mais ils restent « objectifs ». Le paléontologue et écrivain américain Stephen Jay Gould (1941-2000) a ces mots pour nous parler d'objectivité.

> Lorsque Thomas Henry Huxley perdit son jeune fils, « notre enchantement et notre joie », emporté par la scarlatine, Charles Kingsley tenta d'atténuer sa peine en lui infligeant une longue péroraison sur l'immortalité de l'âme. Huxley, qui inventa le mot « agnostique » pour décrire ses propres sentiments, remercia Kingsley de ses bonnes intentions, mais rejeta la consolation offerte pour manque de preuves. Dans un passage célèbre que, depuis, bien des savants ont pris comme devise d'action, il écrivit :

> Mon travail consiste à apprendre à mes aspirations à se conformer aux faits, non pas à essayer d'harmoniser les faits avec mes aspirations […] Placez-vous devant les faits comme un petit enfant, soyez prêt à abandonner toute idée préconçue, suivez humblement la nature là où elle vous mène, serait-ce vers des abîmes, ou vous n'apprendrez rien.
> (Le pouce du panda, Paris, Éditions Grasset et Fasquelle, 1982)

Chris Marker parcourut l'Union Soviétique en 1961, trente ans avant qu'elle n'implose. Il filma un jour une rue de Iakoulsk (capitale de la Yakoutie) pauvre et désolée, dans laquelle passèrent un vieil autobus et une rare voiture. L'image nous est montrée à trois reprises mais avec des leads totalement différents (Lettre de Sibérie, Paris, Seuil, 1962) :

> *Iakoulsk, capitale de la République socialiste soviétique de Yakoutie, est une ville moderne, où les confortables autobus mis à la disposition de la population croisent sans cesse les puissantes Zym, triomphe de l'automobile soviétique.*

ou

> *Iakoulsk, à la sinistre réputation, est une ville sombre, où tandis que la population s'entasse péniblement dans des autobus rouge sang, les puissants du régime affichent insolemment le luxe de leurs Zym, d'ailleurs coûteuses et inconfortables.*

ou

> *À Iakoulsk, où les maisons modernes gagnent petit à petit sur les vieux quartiers sombres, un autobus moins bondé que ceux de Paris aux heures d'affluence, croise une Zym, excellente voiture que sa rareté réserve aux services publics.*

La vérité n'est-elle pas dans les yeux de celui qui observe?

Maxime du Camp, un auteur peu connu du XIXe siècle, rangeait les écrivains de son temps selon leur acuité visuelle, en deux catégories: les myopes qui grossissent tous les détails, les presbytes, qui les noient dans l'ensemble...

4.8. TOMBOUCTOU, SON MAIRE ET SA PALMERAIE

«Observer, c'est perturber», aurait déjà dit l'astrophysicien Hubert Reeves. Lâchez tout! Sortez! Allez voir ce que personne ne remarque. Allez remarquer ce que tout le monde se contente de voir. «Observez le serpentement des choses», disait Leonard de Vinci qui aurait aimé écrire aussi bien qu'il dessinait. Vous êtes de retour? Vous avez bien observé l'incohérence du monde?

Comment allez-vous le décrire? De manière «objective», en l'interprétant ou avec un ton vindicatif? Avant de vous lancer tête baissée dans votre écriture (qu'elle soit journalistique ou non), vérifiez toujours vos données. La philosophie du doute est toujours de rigueur. Entre un lead «objectif» et un lead «d'interprétation», il y a une différence de ton, il y a une opinion implicite ou explicite:

> *La nouvelle comédie musicale de Luc Plamondon, Cindy, présentée en première hier au Marché international du disque et de l'édition musicale (Midem) de Cannes, n'a pas suscité le même enthousiasme que Notre-Dame de Paris au même endroit quatre ans plus tôt.*
>
> (*Le Devoir*, 22 janvier 2002)

> *Présenté lundi au Midem de Cannes, Cindy, le nouvel «opéra-pop» de Luc Plamondon, a réussi son premier examen de passage, mais avec réserve.*
>
> (*Presse Canadienne*, 22 janvier 2002)

Voici un lead d'interprétation encore plus prononcé :

> *La General Motors du Canada a servi du vieux réchauffé, hier, avec l'annonce de contrats déjà conclus avec un soustraitant de Magog et la création chez ce dernier de 800 emplois, lesquels sont tous comblés, plusieurs depuis presque un an.* (Le Journal de Montréal, 21 novembre 2001)

Un lead objectif peut également devenir un lead d'interprétation grâce à une recherche plus poussée :

> *Le maire de Tombouctou, Ibrahim Idris, a proposé vendredi que la ville finance la construction d'un grand hôtel en bordure d'une palmeraie.*

> *Le maire de Tombouctou, Ibrahim Idris,* dont la famille contrôle une importante chaîne d'institutions hôtelières, *a proposé vendredi que la ville finance la construction d'un grand hôtel en bordure d'une palmeraie.*

Et le lead de « combat » (ou d'opinion) ? Les mots sont choisis non pas en fonction de leur neutralité mais de leur portée émotionnelle ou idéologique :

> *Le maire de Tombouctou, Ibrahim Idris,* tente à nouveau de forcer la main à la ville *pour qu'elle finance la construction d'un complexe hôtelier en bordure d'une palmeraie* dont personne ne veut sauf sa famille.

Imaginons à présent ceci :

Exercice 52

> *Vous êtes à Tombouctou quand le maire Ibrahim Idris, au pouvoir depuis 55 ans, meurt alors qu'il était saoul. Il a été frappé de plusieurs coups de couteau. C'est un membre de sa famille qui l'a tué parce qu'il ne voulait pas financer la construction d'un complexe hôtelier en bordure d'une palmeraie.*

Écrivez un lead « objectif ».

Exercice 53

> *Vous découvrez dans un deuxième temps que l'assassin reprochait au maire de vouloir plus d'argent pour construire le complexe hôtelier. Racontez l'histoire avec un lead d'« interprétation ».*

Exercice 54

Pour le dernier lead, de « combat » (ou d'opinion), sortez de vos gonds, ayez recours à un vocabulaire incendiaire, mais sans déformer les faits.

4.9. LE ROI DU TONGA

Informer sans s'impliquer, s'impliquer sans déformer : telle est la règle la plus suivie dans la transmission de l'information.

Peu importe que votre imagination soit à la dérive ou non, retenez ceci : ayez recours à la forme active, délaissez la forme passive.

✗ *Roi du Tonga, sa majesté Taufa'ahau Tupou IV, est attendu en Papouésie-Nouvelle-Guinée pour une visite officielle d'un mois.*

✔ *Roi du Tonga, sa majesté Taufa'ahau Tupou IV, entreprend une visite officielle d'un mois en Papouésie-Nouvelle-Guinée.*

Par ailleurs (bonne « béquille » avec le « d'autre part »), pour passer à un autre point : il est bon d'éviter le plus possible les « leads négatifs ».

✗ *Dernière étude sur l'évolution des crapauds-buffles de Tombouctou nous démontre que s'il n'y a pas de construction d'oasis, les amphibiens ne pourront plus lancer, dans le désert, leur note stridente et courte.*

✔ *Dans la construction d'oasis, les crapauds-buffles de Tombouctou cesseront de lancer, dans le désert, leur note stridente et courte, selon une dernière étude sur ces amphibiens.*

Entre les deux, quel est celui qui « parle » le plus au lecteur, qui va droit au but ?

Voyons d'autres leads négatifs :

✗ *Le président de la Youkitie, Igor Mohmek, ne se rendra pas pour l'instant à Michkent parce qu'il ne croit pas utile sa présence aux pourparlers de paix dans la capitale azerdaïjanaise.*

✔ *Le président de la Youkitie, Igor Mohmek, refuse pour l'instant de se rendre à Michkent car il croit sa présence inutile aux pourparlers de paix dans la capitale azerdaïjanaise.*

✗ *Il n'arrête pas de pleuvoir en Youkitie et, du nord au sud du pays, les records n'en finissent plus d'être battus et provoquer des inondations et des dégâts importants.*

✔ *La pluie tombe sans arrêt en Youkitie et, du nord au sud du pays, les records sont battus et provoquent des inondations et des dégâts importants.*

À vous de vous débarrasser de ces trois leads négatifs :

Exercice 55

La grippe espagnole, qui a tué vingt millions de personnes en 1918 et 1919, a été la pire épidémie infectieuse mondiale de l'Histoire et elle n'avait donc rien d'espagnol puisqu'elle a été introduite par les militaires américains venus prêter main-forte au Vieux Continent.

Exercice 56

Voici une nouvelle qui n'est pas du tout bonne : fumer des cigarettes légères ne fait que déplacer le problème car le tabac ne cesse pas d'être dangereux en changeant de cigarettes.

Exercice 57

Il avait la couleur d'un bourgogne, il se présentait dans une bouteille de bourgogne et portait l'étiquette d'un bourgogne, mais ce n'était qu'un petit vin de table qui n'avait aucun intérêt et était aussi râpeux qu'une vieille lime à ongles.

4.10. SUS AUX PRONOMS RELATIFS !

Dans vos leads, évitez aussi les pronoms relatifs (« qui », « que »). Ils alourdissent la phrase et peuvent (pas toujours, certes) être remplacés par un infinitif, un adjectif, ou un participe présent ou passé.

✗ *Les États-Unis qui ont fait pression sur la Chine ont apparemment fait céder ce pays qui a mis un terme à l'utilisation des cornes de rhinocéros et des os de tigre pour soigner traditionnellement ses malades.*

✔ *Cédant apparemment aux pressions des États-Unis, la Chine a interdit l'utilisation des cornes de rhinocéros et des os de tigre dans sa médecine traditionnelle.*

✗ *On a appris mardi auprès de la police qu'après avoir fait un cambriolage, des voleurs ont «généreusement» fait don d'un sac rempli de vêtements d'enfants à une œuvre de charité mais ont oublié de retirer les bijoux d'une valeur d'un million de dollars du sac qu'ils avaient cachés dans le fond.*

✔ *Des cambrioleurs, en donnant «généreusement» un sac de vêtements d'enfants à une œuvre de charité, ont oublié, caché dans le fond, un million de dollars en bijoux, a annoncé mardi la police.*

✗ *S'envoyer en l'air dans l'espace sera possible avec les ceintures spéciales conçues par le Dr Hans Guildo qui a rappelé hier en conférence de presse qu'une fois attaché, l'astronaute ne pourra plus se séparer et se faire quelques hématomes.*

✔ *S'envoyer en l'air dans l'espace sera possible avec des ceintures spéciales permettant à l'astronaute, une fois attaché, de ne plus se séparer et se faire quelques hématomes, a déclaré son concepteur le Dr Hans Guildo, hier en conférence de presse.*

✗ *Elle a horreur de la grisaille, cette vie qui n'est pas une vie, cette vie des gens qui ne disent pas ce qu'ils pensent, qui n'ont pas le courage d'être ce qu'ils sont, qui vivent dans la peur, la peur de l'autre.*

✔ *Elle a horreur de la grisaille, de cette vie sans vie, de cette existence d'hypocrites ignorant le courage d'être eux-mêmes, retranchés dans la peur, celle de l'autre.* (Thomas Gergely, *Information et persuasion : Écrire*, De Boeck Université, Bruxelles, 1992)

C'est à votre tour de biffer les «qui» et «que» :

Exercice 58

Malgré les sérieux défauts techniques de son optique, Iris est un télescope spatial qui a permis aux scientifiques d'avoir de manière détaillée une vue du cerveau d'une fourmi d'Alpha du Centaure qui est l'étoile la plus proche de notre système solaire.

Exercice 59

La police a pris sur le fait un bénédictin qui avait été accusé d'avances sexuelles dans la métropole à l'endroit de ses protégés, de jeunes fugueurs auxquels il était dévoué, et que le maire Jean de Grossville avait qualifié de «héros».

Exercice 60

> *Le ministre de l'Enseignement supérieur M. Ardoise Babillard a annoncé hier que les universités verront leurs frais de scolarité augmenter de 6000 % l'année prochaine, ce qui portera à près de 5000 sous la somme que les étudiants devront débourser en sus chaque année.*

Françoise Giroud a écrit pendant plus d'un demi-siècle. Pour elle, « l'écriture ne s'apprend pas, donc ne s'enseigne pas. C'est une disposition naturelle. Comme pour le piano, on a le don ou on ne l'a pas. Si on l'a, il faut travailler dur. Savoir qu'un adverbe est presque toujours superflu, un *qui* ou un *que* par phrase le maximum autorisé. Il faut écrire avec l'oreille, comme le faisait Flaubert, pour éviter les assonances et les hiatus. Respecter la musique personnelle de chacun, cette qualité si rare. » (*Le Nouvel Observateur*, 25-31 octobre 2001)

Alignement de mots que tout ceci ? Peut-être. Mais, comme disait Churchill (que nous connaissons bien à présent !) : « Les mots sont les seules choses qui durent à jamais. »

5

LA PLUME DU MANCHOT

Blaise Cendrars (1887-1961), le plus célèbre manchot après Miguel de Cervantès (le «père» de Don Quichotte avait en fait perdu sa main gauche), nous prend à bras-le-corps avec ses phrases courtes, ses mots justes.

Ses manuscrits, nous dit-il dans *Moravagine* (sûrement son plus grand roman), passent par trois états:

- un état de pensée: je vise l'horizon, je trace un angle déterminé, je fouille, je happe les pensées au vol et les encage toutes vivantes, pêle-mêle, vite et beaucoup [...]
- un état de style: sonorité et images, je trie mes pensées, je les caresse, je les lave, je les pomponne, je les dresse, elles courent harnachées dans la phrase [...]
- un état de mot: correction et souci du détail neuf, le terme juste comme un coup de fouet qui fait cabrer la pensée de surprise [...]

Le premier état est le plus difficile: formulation; le deuxième, le plus aisé: modulation; le troisième, le plus dur: fixation. Le tout est mon inédit.

Et quand rien ne vient?

Il fouille sa mémoire comme on fouille dans une vieille malle, et, quand il ne trouve pas ce qui lui plaît, il cherche dans son imagination ce que sa mémoire lui refuse. L'essentiel reste: cette manière abrupte de dire, comme si la phrase était projetée, dure, dense, autonome, tel un caillou.   (*Le Figaro*, 17 janvier 2001)

Bravo Frederic Sauser, alias Blaise! Lui, au moins, se laissait rarement abattre comme Gustave Flaubert. L'auteur de *Madame Bovary*, nous rappelle Roland Barthes dans son *Degré zéro de l'écriture* (Paris, Seuil, 1953 et 1972), se séquestrait pour écrire, faisait «un irrévocable adieu à la vie». Sa rédaction est lente: «quatre pages dans la semaine», «deux jours pour la recherche de deux lignes». Celui qui a mené une «existence laborieuse et austère» au service de l'écriture, ou plutôt du bien-écrire, s'est fatalement retrouvé devant l'angoisse de la page blanche:

Quelquefois quand je me trouve vide, quand l'expression se refuse, quand après avoir griffonné de longues pages, je découvre n'avoir pas fait une phrase, je tombe sur mon divan et j'y reste hébété dans un marais intérieur d'ennui.

5.1. PASSAGES À VIDE

Jean-Paul Dubois, lui, écrit depuis longtemps. N'empêche. Cet écrivain journaliste a, comme tout le monde, des passages à vide.

> En me levant le lendemain, j'ai eu une idée de livre. Enfin, pas une idée de livre, une idée de phrase. Quand je commençais une histoire, c'était toujours à partir d'une phrase qui me passait par la tête, une phrase de rien du tout. Je me suis mis à ma table et j'ai écrit: «Quand je commence un livre, j'ai peur de mourir avant de l'avoir fini. Même quand je n'écris pas un livre, j'ai toujours peur de mourir.» Et j'en suis resté là. J'ai passé une heure à essayer de trouver une suite, mais je n'y suis pas arrivé. J'avais dû me tromper, ce n'était sans doute pas un bon début. Il ne ramenait rien d'autre dans ses filets.
>
> J'avais beau le traîner derrière moi, il n'appâtait pas les autres mots. J'ai pensé que, si les gens savaient comment je travaillais, ils n'achèteraient pas mes livres. Quand je finissais une page, je n'avais pas la moindre idée de ce que j'allais raconter sur la suivante. Je n'avais ni plan, ni idée, ni but, ni scénario. Les mots, les mots seuls me tiraient ligne après ligne, c'étaient eux qui faisaient tout le travail. J'étais une sorte de pêcheur. J'avais mes coins, mon attirail et j'appâtais avec une phrase. Des jours, ça mordait, d'autres je restais assis avec ma gaule à dessiner des parallélépipèdes, la tête aussi vide que des yeux d'aveugle. C'est comme ça que je travaillais, sans règle, sans méthode et sans génie. J'écrivais comme un pêcheur du dimanche. Mais quand ça venait, alors là, je ramenais autant qu'un thonier. Je harponnais les mots avec la gaffe et ils giclaient, j'étais couvert de leur sang et de leur odeur. Plus ils frétillaient dans le filet, plus je piquais. Je les remontais jusqu'à la fin, quels que soient le jour ou l'heure, jusqu'à ce qu'il n'y ait plus rien entre les mailles.
>
> J'ai regardé ma phrase. Elle flottait sur une mer calme et plate comme de la vase. Je savais que ce n'était pas la peine d'insister.
>
> (*Tous les matins je me lève*, Paris, Robert Laffont, 1988)

Lorsque le syndrome de la page blanche persiste, que les idées ne viennent pas, tournent en rond, il est bon de reprendre les six questions et de les «interroger» ainsi:

Qui?
Quel est le public cible visé, quels sont ses centres d'intérêt, ses attentes, son niveau d'exigence à propos de l'information que je lui présente?

Quoi?
Que dois-je sélectionner comme informations pertinentes, comme détails significatifs, comme anecdotes?

Quand ?
Quelle chronologie choisir ? Ici la réponse va de soi : du plus récent au plus « ancien ».

Pourquoi ?
Quel est le contexte, quel est l'historique ?

Où ?
Dans quel média mon article paraîtra-t-il ?

Autant de questions qui vont vous permettre de cibler votre lead, votre écriture, votre récit et de les adapter à votre public. C'est alors que les idées se rassemblent et se mettent en ordre. C'est alors que se dessine et prend forme l'élément déclencheur du texte :

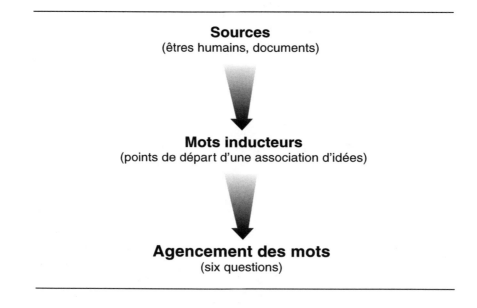

Sources
(êtres humains, documents)

Mots inducteurs
(points de départ d'une association d'idées)

Agencement des mots
(six questions)

5.2.   LA CONTRAINTE DU LOGORALLYE

Quand rien ne vient, il est certes bon de ne pas insister. Henri Rochefort (1831-1913), marquis, journaliste, écrivain et homme politique français, décida, lui, de remettre son sort à Dieu :

> Comme toutes les natures d'élite, j'aime à bien manger, à boire et à ne rien faire. Confiant en celui qui donne la pâture aux petits des chroniqueurs, je me disais : Dieu m'enverra bien quelque bonne idée pendant mon sommeil...

> Quand je me suis réveillé ce matin, j'ai constaté que Dieu ne
> m'avait rien envoyé du tout. Rencontrant un ami, je lui avouais
> la triste nouvelle : « J'ai à faire pour ce soir un article, et je ne
> me suis pas suffisamment préparé pour cet acte. Je n'ai plus
> qu'une espérance, c'est que le Seigneur, qui ne m'a pas envoyé
> d'idées, me frappe de mort ou de paralysie. J'aurais alors une
> excuse toute prête pour mon rédacteur en chef. »
>
> (Yann Delacôte, *Comment écrire efficacement*,
> Paris, Éditions de Vecchi, 1993)

Quand rien ne vient vraiment, que le vertige de la page
blanche devient obsessionnel, que vous êtes gagné par le désespoir
tel Sisyphe voyant une fois de plus retomber son rocher, c'est alors
qu'il faut penser au logorallye. Inventé par Raymond Queneau (1903-
1976) dans les années quarante, il consiste à écrire un texte reprenant
intégralement (mais pas forcément dans un ordre déterminé) les mots
d'une « liste d'épicerie » dressée à l'avance, en ajoutant des mots de
votre cru, en conjuguant les verbes, en les accordant, bref une phrase
respectant la syntaxe. La contrainte agit souvent comme stimulant.

Alors, plongeons dans cet exercice :

- traire
- ministre de l'Agriculture
- vache
- taureau
- M. Jean Sème
- rut
- réflexions
- écraser
- mort sur le coup
- lundi
- Saint-Glinglin

À l'aide de ces mots, nous avons construit un lead en une
seule phrase qui ne dépasse pas deux, trois lignes :

> *Le **ministre de l'Agriculture**, **M. Jean Sème**, plongé dans ses*
> ***réflexions** en **trayant lundi** une **vache** au centre-ville de **Saint-***
> ***Glinglin**, a été **écrasé** par un **taureau** en **rut** : il est **mort sur le coup**.*

ou :

> *Le **ministre de l'Agriculture** est **mort sur le coup** lundi écrasé par*
> *un **taureau** en **rut** : **M. Jean Sème** était plongé dans ses **réflexions** en*
> *trayant une **vache** au centre-ville de **Saint-Glinglin**.*

ou encore :

> *Le **ministre de l'Agriculture, M.** Jean **Sème**, est **mort sur le coup** lorsqu'un **taureau** en **rut** l'a écrasé **lundi** au centre-ville de **Saint-Glinglin** où il **trayait une vache**, plongé dans ses **réflexions.***

Tous les mots de la « liste d'épicerie » y sont. Les six questions aussi. Votre histoire se tient. L'« ami lecteur » a un sourire en coin.

Faisons le même exercice avec les mots suivants :

- clown
- église
- soutane
- poudre d'escampette
- dompteur d'éléphants roses
- tromper
- trapéziste
- tuer
- se réfugier.

Cela donne ceci :

> *Un **clown** poursuivi par les **policiers** pour avoir **tué** une **trapéziste** l'ayant **trompé** avec le **dompteur d'éléphants roses**, a pris la **poudre d'escampette** en se **réfugiant** dans une **église**, d'où il est sorti revêtu d'une **soutane**.*

Le sublead pourrait être le suivant :

> *Anatole Zigotto a quitté les lieux en saluant les villageois qui, croyant avoir affaire à un nouveau curé, multipliaient les courbettes. Le « saint homme » donna même la bénédiction à certains de ses « ouailles » en leur recommandant de ne jamais pécher. « Les portes du paradis sont surtout grandes ouvertes à ceux qui ne commettent pas d'adultère », dit-il, en pensant à Gertrude Sansfilet qu'il aimait toujours même si elle l'avait cocufié avec Jean Souris.*

Le troisième et dernier paragraphe pourrait être le suivant et respecterait la pyramide inversée :

> *Ce dernier, craignant pour sa peau, aurait demandé la protection de la police.*

À votre tour de construire des leads à partir des mots ci-dessous.

Exercice 61

grand public
pas si lointain
Tintin
sympathiques
bourlinguer
monde
danger
injustices

Exercice 62

Barbe-Violette
cargaison d'or
épave
eaux profondes
pistolets
poitrine velue
Triangle des Bermudes

Exercice 63

princes
« Vive le roi ! »
quelques jours
rumeurs
successeur
conclave
vieux
sources médicales
embolie cérébrale

N'oubliez pas ces bons mots d'Albert Einstein : « Lorsqu'un problème nous résiste malgré d'énormes efforts de recherche, nous devons mettre en doute ses données initiales. L'imagination est alors plus importante que la connaissance. »

Il faut constamment solliciter son imagination pour qu'elle « fonctionne de façon convenable [...] Si nous la laissons dans une longue inactivité, elle devient lourde et rétive comme une grosse éponge fatiguée », écrit Gilberte Niquet dans *Structurer sa pensée. Structurer sa phrase. Techniques d'expression orale et écrite* (Paris, Hachette, 1987).

Comme tout écrivain, Raymond Queneau n'a fait que ça dans sa vie : faire travailler son imagination. En plus du logorallye, il a inventé Oulipo. Laissons cette « boîte à mots » française se présenter elle-même :

> Ou c'est Ouvroir, un atelier. Pour fabriquer quoi ? De la Li. Li c'est la littérature, ce qu'on lit et ce qu'on rature. Quelle sorte de Li ? La Lipo. Po signifie potentiel. De la littérature en quantité illimitée, potentiellement productible jusqu'à la fin des temps, en quantités énormes, infinies pour toutes fins pratiques. Qui ? Autrement dit qui est responsable de cette entreprise insensée ? Raymond Queneau, dit RQ, un des pères fondateurs, et François Le Lionnais, co-père et compère fondateur, et premier président du groupe, son Fraisident-Pondateur.
>
> Que font les Oulipiens, les membres de l'Oulipo (Calvino, Perec, Marcel Duchamp, et autres, mathématiciens et littérateurs, littérateurs-mathématiciens, et mathématiciens-littérateurs) ? Ils travaillent. Certes, mais à Quoi ? À faire avancer la Lipo.
>
> Certes, mais comment ? En inventant des contraintes. Des contraintes nouvelles et anciennes, difficiles et moins diiffficiles et trop diiffiiciiiles. La Littérature oulipienne est une littérature sous contraintes. Et un auteur oulipien, c'est quoi ? C'est « un rat qui construit lui-même le labyrinthe dont il se propose de sortir ». Un labyrinthe de quoi ? De mots, de sons, de phrases, de paragraphes, de chapitres, de livres, de bibliothèques, de prose, de poésie, et tout ça...   (www2.ec-lille.fr/-book/oulipo/)

Vous avez retenu ceci de la littérature « oulipienne » : il faut savoir travailler sous contraintes. Et, quel est le meilleur outil pour y arriver ? La réponse, vous l'avez deviné, s'écrit en quatre lettres.

5.3.   BAS LES MASQUES !

Qui annonça, en 490 avant Jésus-Christ, la victoire des Grecs sur les Perses dans le port de Marathon ? Un certain Pheidippides qui courut d'une traite un peu plus de quarante kilomètres, pour dire sûrement ceci, avant de mourir d'épuisement, le cerveau chauffé à blanc :

> Les troupes de notre grand stratège Miltiade ont infligé, hier à Marathon, une cuisante défaite aux forces de l'envahisseur Darius le Grand, deux fois supérieures en nombre.

On avait compris, il y a vingt-cinq siècles qu'une nouvelle importante doit se faire sans fioriture de style, sans fla-fla, tralala et chichi. L'intérêt d'une nouvelle est directement proportionnel à la rapidité de sa transmission, comme ce fut le cas, par exemple, lors de la mort de la princesse Nadia (à ne pas confondre avec une autre princesse qui, elle, a bel et bien vécu) :

Voici comment les agences de presse du monde entier ont annoncé le décès de la princesse Nadia de Tombouctou le 31 août 1997 :

> FLASH (mot inventé par l'AP en 1906)
> *Nadia est morte.*
> *Qui a dit qu'il ne se passait jamais rien au mois d'août ? Et la mort de Enrico Caruso, le plus grand ténor de son temps (1921) ? Et celles de Graham Bell, l'inventeur du téléphone (1922), de Marilyn Monroe (1962), d'Elvis Presley (1979), de Richard Burton (1984) et celles de Jeanne Calment, la doyenne de l'humanité morte en 1997 à l'âge de 122 ans, de la comédienne Marie-Soleil Tougas et du cinéaste Jean-Claude Lauzon, qui ont connu, la même année, une fin moins paisible quand leur petit avion s'est écrasé dans le Grand Nord québécois ? Et l'arrivée de Hitler au pouvoir (1934), et la démission de Richard Nixon (1974) ? Et Hiroshima et Nagasaki (1945) ? Et l'invasion de la Tchéco-slovaquie par les troupes soviétiques (1968) ? Et celle du Koweït par les forces de Saddam Hussein (1990) ? Et le génocide rwandais (1994) ? Et le naufrage du Koursk, le sous-marin nucléaire russe (2000) ?*

Tout flash est exceptionnel. En trois, quatre mots, il faut annoncer un événement d'une importance telle qu'il est assuré de faire la une des quotidiens, d'interrompre les émissions régulières de radio et de télévision. Le flash sans doute le plus célèbre du XXᵉ siècle fut celui d'Albert Merriman Smith qui récolta le Pulitzer (le prix de journalisme le plus prestigieux aux États-Unis) pour ce lead plutôt décousu à 12 h 39 le 22 novembre 1963 : « Kennedy blessé

peut-être gravement ou peut-être mortellement par des balles
d'assassins.» Sept ans plus tard, criblé de dettes malgré tous les
honneurs, divorcé et ayant perdu son fils au Vietnam, le journaliste
de la United Press International (UPI – à l'époque la deuxième agence
de presse américaine) se suicida à l'aide de son .357 Magnum.

Le flash est toujours suivi, quelques secondes plus tard, du :

> **BULLETIN** – *La princesse Nadia est décédée des suites de ses blessures
> lors de son accident à Tombouctou, a annoncé l'agence britannique
> Press Association.*

Le bulletin est une phrase complète (sujet, verbe, complément)
de deux lignes maximum – appelées «lead cartouche» dans les agences
de presse. Le bulletin doit être suivi automatiquement d'un :

> **URGENT** – *Lady Nad est morte des suites de l'accident de la circulation
> dont elle a été victime dans la nuit de lundi à mardi à Tombouctou, a
> confirmé le ministre malien de l'Intérieur, Mamadou N'gor.*

L'urgent est ensuite suivi d'une «viande froide», c'est-à-dire
d'un portrait d'une personnalité, rédigé longtemps avant sa mort. Ce
portrait est placé dans le «frigo» et «rafraîchi» à la dernière minute
avec tous les détails du moment. C'est ce que les agences appellent :

> **BIO-EXPRESS** – *La princesse Nadia, décédée mardi à Tombouctou à
> l'âge de 106 ans, était entrée à 20 ans dans la famille royale du Wontaï
> et avait acquis avec son divorce du prince Max il y a 50 ans une indé-
> pendance tour à tour saluée et critiquée par les habitants de l'île qui
> en avaient fait leur «reine des cœurs».*

Voilà, c'est fait : cinq minutes tout au plus séparent le flash de
la bio-express. Vive la phrase unique mais attention aux «coquilles».
Dans son flash annonçant au monde que la reine Elizabeth avait accou-
ché du prince Charles en 1949, l'AFP avait «pondu» le lead suivant :

> *La reine accouche d'un gardon* [sic !]

Personne n'a dû apprécier à Buckingham Palace malgré les
rectificatifs en cascade de la seule agence mondiale francophone.

Pourquoi ces exemples de flash, de bulletin et d'urgent ? Penser
un lead avec deux, trois mots permet souvent de mieux le développer
en une seule et courte phrase. Vous pouvez tout dire d'un seul trait
en un maximum de trois ou quatre lignes. Le message est toujours

mieux reçu, donc mieux relayé. Dans la saisie du message, le lecteur identifiera de suite le thème abordé (question posée) et repérera facilement la thèse soutenue (réponse apportée) dans le corps du texte.

5.4. LE PAPE ASSASSINÉ

Vous recevez un coup de téléphone d'une source sûre à Castel Gandolfo, la résidence d'été du pape, qui vous dit en haletant:

> *Le pape Léon-Paul IV est mort [...] Il a été assassiné de douze coups de poignard alors qu'il prenait son bain dans sa baignoire. Cela s'est passé aujourd'hui, dimanche [...] Il venait de célébrer la messe.*

Pour la «viande froide» de votre bio-express, vous avez dans vos tiroirs toutes sortes de documents qui se résument à ceci:

> *Le pape avait 115 ans. Dès le début du pontificat de Léon-Paul IV, le souverain pontife a accepté que les prêtres se marient. Cependant, tout le long de son pontificat qui a duré 55 ans, il s'est montré très conservateur en refusant que l'Église «épouse» les réalités du monde moderne.*

Exercices 64 à 67

Construisez à présent un flash (Exercice 64), un bulletin (Exercice 65), un urgent (Exercice 66) et une bio-express (Exercice 67) en un peu plus de cinq minutes. Pas plus.

Un lead peut être écrit d'un seul trait. Ou par petites doses, en vous basant sur la structure flash-bulletin-urgent et s'il le faut la bio-express. Un lead peut donc être un *work in progress*.

Un peu comme B.B. King avec son hamburger. Diabétique, la légende américaine du blues fit de la publicité pour promouvoir un test médical destiné à mesurer le taux de glycémie dans le sang. Paradoxe cependant, il vanta aussi dans une pub télévisée le dernier-né des hamburgers aux États-Unis. Lorsqu'on lui demanda s'il n'y avait pas là un problème d'éthique à faire les deux pubs, il répondit, impassible, aux médias américains interloqués:

> Je n'ai pas dit de manger le sandwich en entier, vous pouvez en manger une partie maintenant, une autre plus tard, et une autre encore plus tard.

5.5.   CYBERLEAD ET CYBERJOURNALISTE

Parallèlement à leurs écoles d'écriture « traditionnelle », les États-Unis (pays qui offre au « village global » le meilleur et le pire de lui-même) ont développé des « écoles d'écriture hypertextuelle ». Le rapport du lecteur à l'écrit change totalement, tout comme celui de l'auteur à son lecteur.

Fini certes les lectures linéaires d'un texte, mais le lead à pyramide inversée a encore de beaux jours devant lui avec l'écriture Web. Si aucun futurologue ne peut prédire l'avenir de ce nouveau genre « d'hyperécriture », il y a en effet fort à parier que la confection d'un bon lead avec ses six questions sera toujours utile pour mieux se repérer sur l'écran cathodique qui déroulera encore longtemps un texte « multidimensionnel » comme un papyrus.

Avec ses hyperliens, l'écriture Web nous plonge dans une lecture « participative ». Voici le cyberlead d'un cyberjournaliste :

> Un **aveugle** ayant pris l'habitude de mordre son Saint-Bernard tous les mardis a été emprisonné à sa propre demande dans les **geôles de Tombouctou**, a rapporté la **presse malienne** hier.

- *Un aveugle :* renvoie à un lien traitant des aveugles (nombre, aspects médicaux, etc.)
- *Saint-Bernard :* renvoie à un lien portant sur cette race de chien et sur son utilisation pour aider les aveugles
- *Geôle de Tombouctou :* renvoie à un lien faisant la lumière sur les conditions d'incarcération dans cette ville malienne
- *Presse malienne :* fait le point sur l'état de santé des médias de l'un des pays les plus pauvres de la planète.

Le cheminement du lecteur reste cependant le même que dans la lecture conventionnelle : à tout moment il peut mettre fin à sa lecture.

C'est pourquoi là aussi le cyberjournaliste doit donner le maximum d'informations dans son cyberlead. Il doit même être encore plus concis que son collègue « traditionaliste » car le cyberlecteur (il lit 25 % plus lentement) agence sa lecture comme il l'entend.

À ce sujet, Jean Clément, professeur à l'Université de Paris VIII nous rappelle (longuement mais avec justesse) ceci :

> Un bon roman traditionnel tient son lecteur jusqu'au bout, l'hypertexte, lui, est destiné à être quitté à tout moment. N'étant pas construit selon une perspective unique qui trouverait son aboutissement à la dernière page il est fait pour être visité comme on parcourt une exposition de peinture ou une ville étrangère. Son régime de lecture favori est la promenade. À chaque instant, il nous invite à le quitter.
>
> Dans l'hypertexte, le lecteur est comme un vaisseau spatial lancé dans le cosmos. Il peut suivre la trajectoire que lui impose son inertie (c'est ce qu'il fait quand il suit les liens par défaut de l'hypertexte), mais il peut aussi être attiré par la force d'attraction des planètes qu'il côtoie et se laisser prendre dans leur orbite (il choisit alors de bifurquer en abandonnant l'intrigue qu'il suivait jusqu'à présent). Il risque alors d'errer de galaxie en galaxie. Car quitter le fil d'une histoire en cours de route, comme y invitent, dans l'hypertexte, les mots qui servent à déclencher les liens, c'est perdre les repères construits par la lecture et débarquer dans une nouvelle histoire sans savoir comment elle a commencé.
>
> («Du texte à l'hypertexte : vers une épistémologie
> de la discursivité hypertextuelle»), dans *Hypertextes et hypermédias :*
> *Réalisations, Outils, Méthodes,* Paris, Hermès, *1995*)

Vannevr Bush, Ted Nelson et Douglas Engelbart, les trois inventeurs de l'hypertexte en 1968, auraient sûrement ajouté ceci si on le leur avait demandé : un texte ou hypertexte bien balisé par un lead bien construit permet d'annoncer le plan suivi, avec ses différentes parties, accentue sa clarté et en facilite la lecture.

Encore faut-il éviter les inversions circonstancielles freinant le rythme de la nouvelle en reportant l'essentiel trop loin dans le lead.

Vous êtes devant votre ordinateur et lisez un hypertexte avec le lead suivant :

> *M. David Poissant, ministre des Pêches et Océans, a réitéré aujourd'hui son engagement envers la sécurité des eaux...*

Découragé, vous cliquez sur un autre article malgré tous les hyperliens qui accompagnent le texte. Pourquoi ? Il n'y a aucun élément «nouvelle» dans les premières lignes. Sacha Guitry avait mille fois raison : «La nouvelle c'est tout ce qui ne se retrouve pas à la poubelle.»

Alors faisons un petit effort et lisons le lead au complet :

> ✗ *M. David Poissant, ministre des Pêches et Océans, a réitéré aujourd'hui son engagement envers la sécurité des eaux et a annoncé que la Garde côtière canadienne allait émettre les lignes directrices de sécurité pour les compagnies de location de motos marines pour s'assurer que ceux qui les louent les conduisent prudemment.*

Ce lead serait meilleur de la manière suivante :

> ✔ *La Garde côtière canadienne émettra une série de lignes directrices de sécurité à l'intention des compagnies de location de moto marines, a annoncé hier le ministre des Pêches et Océans, M. David Poissant.*

Le très honorable ministre est un personnage important certes, mais son message l'est encore plus. Quand le message a une plus grande portée que son porteur, c'est le message qui doit ouvrir le lead. En plus de faire attention aux inversions circonstancielles, il faut le plus possible « sourcer » son lead.

> *La Garde côtière canadienne émettra des lignes directrices de sécurité pour les compagnies de location de moto marines afin de s'assurer que ceux qui les louent les conduisent prudemment.*

Intéressant mais où est la source ? On l'apprend dans le sublead :

> *C'est ce qu'a annoncé le ministre des Pêches et Océans, M. David Poissant, au cours d'une conférence de presse.*

Ce type de leads est à éviter. Comme celui-ci d'ailleurs :

> ✗ *S'essuyer les pieds sur le drapeau de Vornéo pourrait devenir un crime, passible d'une peine de cinq ans de prison et de 1000 sous d'amende. C'est du moins ce que souhaite le député du Parti libre Nin Bernou, qui a déposé un projet de loi en ce sens au Parlement.*

Même si le lead est au conditionnel, le citoyen de Vornéo va s'inquiéter. Parce que la source n'y est pas, il y a une certaine dramatisation de l'information.

En plaçant directement la source dans le lead, on lui donnera un sens plus direct, moins conditionnel et moins dramatique.

✔ *S'essuyer les pieds sur le drapeau de Vornéo doit devenir un crime, passible d'une peine de cinq ans de prison et de 1000 sous d'amende, soutient le député du Parti libre Nin Bernou, qui a déposé un projet de loi en ce sens au Parlement.*

Ah, se dira le Vornéoien, il ne s'agit-là que du souhait politique d'un simple député !

C'est une question d'honnêteté à l'égard du lecteur : il faut dès le départ donner la source de l'information. À moins que...

Voici un lead à citation directe comme nous en avons vu au chapitre 3 :

La fin du monde tel que nous le connaissons est très proche.

Le squelettique professeur de Harvard s'assit sur un bureau dans la classe et poursuivit : Cela arrivera à cause de ...

(Tiré de Melvin Mencher, *News Reporting and Writing*, Dubuqye, Iowa, Brown and Benchmark, 1998)

Cette formulation, bonne avec une citation-choc, sert de *teaser*, vise à mettre un peu de suspense dans le lead.

Vous pouvez également placer la source entre deux questions du lead.

Dans l'exemple suivant, la source est entre le *quoi* et le *pourquoi* :

Ottawa – *Le Canada est un pays en danger, soutient un comité du Sénat, parce que ses points d'entrée sont de vraies passoires, ses ports sont infestés de travailleurs aux lourds antécédents criminels et son armée n'a pas les ressources pour protéger les citoyens contre le terrorisme.*

(*La Presse*, 2 mars 2002)

Règle générale, un lead sans source empêche tout esprit de synthèse et réduit tout degré de certitude de l'information rapportée.

Il est bon par ailleurs d'éviter les leads commençant par « selon ». En voici un :

✘ *Selon une vaste enquête menée par l'Ordre des infirmières et infirmiers du Québec (OIIQ), qui met en cause la surcharge de travail de ses quelque 50 000 membres, le nombre de plaies de lit, de chutes, d'infections et d'erreurs de médication augmente dans les établissements de santé.*

Il faut là aussi inverser :

✔ *Le nombre de plaies de lit, de chutes, d'infections et d'erreurs de médication augmente dans les établissements de santé, selon une vaste enquête menée par l'Ordre des infirmières et infirmiers du Québec (OIIQ), qui met en cause la surcharge de travail de ses quelque 50 000 membres.*   (*La Presse* 22 janvier 2002).

Évitez enfin les leads commençant par des incises telles « au moment où... », « estimant que... », « alors que... ». Elles alourdissent le sens du lead.

Lorsque vous écrivez avec vos cinq sens (voir chapitre 6), l'ordre naturel des mots (sujet, verbe, complément) peut être inversé. Vous écrivez alors dans l'ordre des sensations éprouvées.

Dans ce lead, vous voyez les outardes avant d'en percevoir les cris :

Un vol d'outardes passa, lâchant d'aigres cris dans le ciel azuré...

Dans celui-ci, vous percevez des cris avant l'apparition des outardes :

Lâchant d'aigres cris dans le ciel azuré, un vol d'outardes passa...

Inutile, d'autre part, de nommer dans votre lead des personnages peu connus du grand public. Le lecteur retient à peine les noms de ceux qui sont tous les jours sous les feux médiatiques.

✘ *Se rencontrant pour la première fois hier au Wantaï, le nouveau ministre responsable de la Gestion centrale d'hypothèques et de logement, Dixou Bouafou, et le ministre yikoute des Affaires municipales, Gouang Tsébon, sont convenus d'amorcer un dialogue plus constructif sur les questions d'intérêt commun.*

Il est préférable d'écrire :

✔ *Le Wantaï et la Yikoutie sont convenus d'amorcer un dialogue plus constructif sur les questions d'habitation et d'affaires municipales.*

Ce qu'il faut retenir ? Placez toujours les mots importants au début de vos leads afin de les faire « parler » plus rapidement.

5.6. UN DISCOURS DE MARCHAND DE VINS

Commencez donc toujours par une info, ne cherchez jamais une généralité. Encore une fois, le lecteur doit savoir dès le départ où vous voulez en venir.

Le texte suivant est un discours de marchands de vins tiré de *Toast, allocutions et Discours modèles,* d'A. Doriac et G. Dujarric (Paris, Albin Michel, 1983). Parce qu'il ne répond pas aux règles de la pyramide inversée, le texte n'a pas de véritable unité, tourne en rond, finit par saouler.

> Après avoir étudié, débattu et solutionné les questions qui étaient inscrites à l'ordre du jour de notre réunion, il est bien juste que nous nous réjouissions en vidant nos verres en l'honneur de notre commerce et de ses représentants présents et absents.
>
> Boire un coup de temps à autre est d'ailleurs une nécessité chez nous : vous le savez comme moi. D'abord il est naturel que nous nous rendions compte par nous-mêmes de la qualité des boissons que nous vendons. Ensuite, on a fréquemment l'occasion de trinquer avec un client, et comme c'est lui qui paie, on ne doit pas la laisser échapper.
>
> Au fond, quoi qu'en disent des moralistes atrabilaires, notre profession est une des plus utiles pour le maintien du Régime, et à beaucoup d'autres égards. Sans nous, comment se feraient les élections ? Y aurait-il même des élections ?
>
> Grâce à nous, les gens altérés, ou fatigués par le travail, ou assombris par les déceptions, peuvent se rafraîchir, se réconforter, retrouver leur bonne humeur. Chez nous, on se retrouve, on cause, on fait des projets, on agite des rêves – tout en consommant. Sans nous, les hommes redeviendraient sauvages, ou tout au moins étant beaucoup plus chez eux, feraient de leur maison un enfer et rendraient leur femme malheureuse.
>
> Et de quoi, sans nous, vivrait le viticulteur ; ne serait-il pas réduit à boire tout seul sa récolte ? Et le fisc ? Qui donc l'entretient gros et gras, si ce n'est nous ; n'est-ce pas dans nos tiroirs-caisses que, par d'invisibles suçoirs, il puise sa santé en pompant notre substance ? Vous le voyez, chers confrères, nous sommes des citoyens vraiment utiles, nous sommes les piliers de la société, des commerçants honorables et bien pensants, et, ce qui résume tout, nous sommes dans le Bottin.
>
> Alors buvons sans arrière-pensée et plutôt deux fois qu'une à la prospérité du commerce de vins, de vins et liqueurs. Buvons à la bonne santé et à la bonne humeur des débitants dont l'âme reluit comme le zinc de leur comptoir.
>
> Vidons nos verres ; et adoptons cette devise : un verre plein, je le vide – un verre vide je le plains.

On le voit, l'orateur soliloque, sa logorrhée verbale ne semble avoir été construite que pour le jeu de mots de la conclusion. Il « tire à la ligne », comme on dit dans le jargon journalistique : il ponctue ses phrases de mots inutiles, délaie le peu d'informations qu'il transmet. Malgré cela, l'orateur a un net avantage sur le journaliste : il tient son public en otage jusqu'à la fin. Même si son discours est mauvais, rares sont ceux qui vont se lever et quitter la salle. Un journal, un magazine, un poste de radio, de télévision, un site d'information sur le Net se ferment et s'éteignent en un tour de main.

5.7. DISSECTION

Pour pouvoir vagabonder dans un texte et ses nombreux hyperliens, il faut (c'est un souhait !) que l'hypertexte soit écrit comme une dépêche d'agence (que nous avons choisie comme modèle dans ce manuel) : chaque paragraphe est lié au précédent tout en formant un tout unique que l'on peut quitter à tout moment. Là aussi la structure de la pyramide inversée pourrait permettre au cyberlecteur de se retrouver à tout moment dans son hypertexte fragmenté.

Prenons ici un exemple de deux dépêches d'agence sur un même sujet. Il y a un même message d'ensemble mais le traitement diffère légèrement. Analysons la logique du texte paragraphe par paragraphe. Nous avons mis une lettre devant chacun des paragraphes pour mieux les disséquer par la suite.

La Corogne, Espagne (AFP)

A

Un homme de 72 ans a été hospitalisé mercredi après avoir passé les trente dernières années emmuré vivant par sa mère dans une pièce de quatre mètres carrés démunie de fenêtres dans le village d'A Ribela (Galice, nord-ouest), a indiqué la garde civile.

B

Atteint de troubles psychiques, Aurelio Mourelle avait été enfermé dans ce réduit il y a trente ans par sa mère, actuellement âgée de 92 ans, parce que celle-ci n'arrivait plus à le contrôler et parce qu'un médecin lui avait assuré qu'il ne pourrait jamais guérir, a-t-on précisé de même source.

C

La pièce de deux mètres sur deux était démunie de fenêtres, seul un petit trou dans un des murs en brique assurant l'aération. Aurelio Mourelle y vivait nu et couchait sur un tas de paille.

D

Selon la garde civile, presque tous les habitants d'A Ribela, un village reculé d'à peine une douzaine de maisons, connaissaient le sort d'Aurelio Mourelle mais aucun ne s'en indignait car ils estimaient que sa mère le traitait correctement et le nourrissait bien.

E

Libéré mardi par la garde civile et les services sociaux de la mairie, Aurelio Mourelle a été placé en hôpital psychiatrique.

Madrid (AP)

A

Il était mentalement instable, elle prétendait lui éviter des ennuis : pendant trente ans, une femme a séquestré son fils dans un minuscule appentis à Coristanco, un village du Galice (nord-ouest de l'Espagne), où a régné la conspiration du silence.

B

Maria Mourelle, 91 ans, gardait Aurelio, 72 ans, enfermé dans une petite pièce en briques de deux mètres carrés, attenant à la cuisine. Il y avait de la paille par terre et un trou pour faire passer la nourriture et sortir les excréments, a expliqué le porte-parole de la Guardia Civil José Hermida, interrogé par téléphone.

C

La mère a déclaré à la police avoir enfermé son fils lorsque les médecins lui ont dit qu'il était incurable. « Il semblerait qu'elle pensait agir pour le bien de son fils », a ajouté Hermida, avant de préciser : « Il est difficile de croire que des choses pareilles puissent se passer à notre époque. »

D

Les voisins étaient au courant depuis de longues années, mais avaient choisi de se taire. Après enquête de la Guardia Civil et grâce à l'insistance de responsables politiques locaux et de travailleurs sociaux, la police est intervenue, emmenant l'homme à l'hôpital lundi.

E

Aurelio avait des allures de « Robinson Crusoe », la barbe et les cheveux longs, vêtu de loques, mais son état physique n'inspirait pas d'inquiétude lorsqu'il a été libéré, a précisé le porte-parole.

A – Le lead de l'AFP est plus direct que celui de l'AP : *Il était mentalement instable, elle prétendait lui éviter des ennuis.*[...] De quoi parle-t-on, de qui parle-t-on ? Dans le premier lead, l'AFP nous parle du village d'A. Ribela. Dans le second, il s'agit du village de Coristanco. Qui a raison ?

B – Pourquoi la mère a-t-elle emmuré vivant son fils ? L'AFP nous le dit : *Atteint de troubles psychiques...* On l'apprend plus vite avec l'AP : *Il était mentalement instable* (lead). L'agence de presse américaine nous donne le maximum de détails sur l'environnement de l'emmuré, alors que l'agence française explique les raisons pour lesquelles la mère (dont on ne connaît pas le prénom dans la dépêche de l'AFP) a agi ainsi avec son fils. Cette explication viendra au paragraphe suivant pour l'AP.

C – L'AFP met à son tour l'accent sur l'environnement d'Aurelio Mourelle. L'AP fait parler le porte-parole de la Guardia Civil. Il y a des citations. Cela donne un peu de vie à la dépêche. Un texte sans citation est un fruit sec !

D – Les habitants du village étaient au courant, nous rappellent les deux agences. L'AFP, contrairement à l'AP, nous précise cependant pourquoi ils n'ont jamais réagi.

E – L'AFP nous annonce qu'Aurelio *a été placé en hôpital psychiatrique.* L'AP avait pris les devants au paragraphe précédent : [...] *emmenant l'homme à l'hôpital lundi.* L'AP nous fait une bonne description d'Aurelio que ne nous fait pas l'AFP.

Faites le même exercice avec les deux dépêches suivantes :

Exercice **68**

Stockholm (AFP)

A

Une centaine de pays ont adopté mardi à Stockholm une convention des Nations unies visant à éliminer les « douze salopards », des polluants organiques persistants (POP) parmi les plus toxiques au monde.

B

Cette « convention de Stockholm » sur les POP a été adoptée par consensus par 127 pays après avoir été établie en décembre à Johannesburg, après deux ans de négociations sous l'égide du programme des Nations unies pour l'environnement (PNUE).

C

Le traité, qui doit être signé mercredi dans la capitale suédoise par les différents pays participants, entrera en vigueur lorsqu'il aura été ratifié par au moins cinquante États. Ce processus devrait prendre plusieurs années.

D

Outre les États-Unis, le Canada a annoncé tout récemment son intention de signer la convention. Les « douze salopards » ne sont plus produits dans la majorité des pays développés, ce qui explique l'empressement de Washington à signer le traité, contrairement au Protocole de Kyoto sur le climat, dénoncé par le président George W. Bush dès son arrivée aux affaires.

F.

Les POP « représentent une bombe à retardement, une menace à l'environnement et à la qualité de la vie », a déclaré le premier ministre suédois, Goeran Persson, en ouvrant la conférence. « Votre tâche, au cours des deux prochains jours, consiste à rendre notre planète plus saine et plus propre », a-t-il ajouté. « Si nous échouons dans le domaine de l'environnement, alors toutes nos autres décisions politiques seront sans fondement. »

Stockholm (AP)

A

Cent vingt-sept pays ont formellement adopté mardi un traité interdisant douze produits chimiques hautement toxiques au premier jour d'une conférence du Programme des Nations unies pour l'environnement. Ce succès attendu a toutefois été assombri par des tensions persistantes entre les États-Unis et l'Europe.

B

La convention sur les polluants organiques persistants (POP), conclue en décembre dernier en Afrique du Sud après deux ans de négociations, a donc été adoptée mardi par 127 pays.

C

Elle sera officiellement signée mercredi. Ce traité est destiné à éliminer à terme une liste de douze POP, surnommés les « douze salopards », qui incluent des produits industriels comme les PCB, des sous-produits résultant du processus industriel (dioxines et furanes) et des pesticides comme le DDT. Ces substances toxiques peuvent provoquer des anomalies congénitales, le cancer et d'autres problèmes chez l'homme et l'animal.

D

« Nous devons cesser d'utiliser des poisons qui menacent les plantes, les animaux et l'environnement dans lequel nous vivons », a plaidé le premier ministre suédois Goran Persson à l'ouverture de la conférence.

E

Les États-Unis soutiennent le texte. Mais tout en saluant la position de Washington sur ce dossier, le ministre suédois de l'Environnement Kjell Larsson a déploré le désengagement américain sur le Protocole de Kyoto, destiné à lutter contre le réchauffement climatique. Le président George W. Bush avait annoncé en mars sa décision de rejeter le protocole, s'attirant les critiques de dirigeants européens et des écologistes dans le monde.

Encore une fois, ces exemples montrent que la même information est traitée différemment d'une agence de presse à l'autre, d'un média à l'autre. Il y a toujours des similitudes et des différences dans la représentation du réel. L'émetteur construit lui-même son propre cadrage du réel. Voilà pourquoi les leads sur le même sujet ne sont jamais les mêmes d'un média à l'autre. Heureusement, d'ailleurs. L'information est déjà assez uniformisée.

5.8.   T'SAI LUN, L'EUNUQUE

Georg Friedrich Grotefend était tellement heureux d'avoir déchiffré l'écriture mystérieuse sur un objet bizarre qu'un marchand avait rapporté d'un voyage à Persépolis, qu'il ne dormit pas cette nuit-là, occupé à lever bien haut sa chope de bière.

C'était en 1802, l'universitaire allemand venait de décoder le cunéiforme. Formée de signes en fers de lance ou en clous diversement combinés, l'une des plus vieilles écritures du monde vit le jour en 3300 av J.-C. au pays de Sumer, l'Irak d'aujourd'hui.

Il aura fallu plus de trois mille ans pour que l'homme écrive sur du papier. C'est, dit-on, Ts'ai lun, un eunuque de la cour impériale chinoise, qui inventa le papier en 105 après J.-C. Ce n'est que mille ans plus tard que le papier fit son apparition en Europe.

Comment s'est-on soudain mis à écrire ? Les premiers scribes de l'humanité ont à jamais gardé leurs secrets. Qu'importe, hier comme aujourd'hui, tout message est rarement clair et univoque.

Il y a une pluralité de significations. Le récepteur est rarement passif. Surtout dans le cyberespace. Il filtre, sélectionne, transforme. Le lobe droit de notre cerveau va choisir toute information chargée d'émotion, le lobe gauche captera toute information touchant la raison. Dans les deux cas, la sélection des informations aboutit à un appauvrissement du texte initial puisque nous intégrons les informations en faisant une synthèse plus ou moins cohérente de l'ensemble du texte. On simplifie, on amoindrit, on déconstruit, on mutile. D'où (encore une fois!) l'importance du lead.

Dans tous les cas, il faut constamment avoir en tête la formule du sociologue américain Harold Lasswell: «Qui dit quoi, à qui, par quel canal et avec quels effets?»

Ne sommes-nous pas tous des émetteurs?

6

LA MONTRE DU BLANC

Festina lente! Tchouang-tseu, notre dessinateur de crabes, n'a jamais connu cette devise latine : *Hâte-toi lentement!* Son empereur ne l'aurait sûrement pas appréciée. Aujourd'hui, à l'heure du fast-food, du zapping, des nouvelles technologies qui brouillent et effacent les fuseaux horaires (inventés par le Canadien Sanford Fleming en 1878), nous sommes orphelins du temps. Nous l'avons perdu. Nous vivons dans le présent perpétuel. « Tous les Blancs ont une montre, mais ils n'ont jamais le temps », dit un dicton africain.

Nous vivons dans la nanoseconde. Vite. Vite. Vite !

Time is flowing in the middle of the night. Oui, le temps s'écoule au milieu de la nuit et Goethe avait beau supplier « arrête-toi, tu es si beau », il file entre nos doigts comme le sable le plus fin d'une mer azurée.

Les poètes de tous les pays ont exploité le thème tragique du temps, mystère existentiel, forme suprême de notre impuissance car il emporte tout à jamais.

« On ne se baigne jamais deux fois dans les eaux du même fleuve », disait le vieil Héraclite (surnommé l'Obscur), mort il y a vingt-cinq siècles dévoré par les chiens. Le temps fuit sans remords et sans remède.

« Hâtons-nous, le temps fuit et nous traîne avec soi. Le moment où je parle est déjà loin de moi », soupirait Boileau en nous rappelant (ne l'oubliez pas !) d'exprimer clairement ce que nous concevons. Pour gagner du temps, peut-être ? Ce temps que saint Augustin n'a jamais su définir : « Qu'est-ce que le temps ? Quand personne ne me le demande, je le sais ; dès qu'il s'agit de l'expliquer, je ne le sais plus. »

Pour Gabriel Garcia Marquez : « Le temps n'avance pas, il tourne ! »

« Le journaliste s'occupe du temps qui passe, nous dit Jean d'Ormesson, l'écrivain du temps qui dure. Le journaliste s'intéresse à l'urgent et l'écrivain à l'essentiel et il est bien rare que les deux se recoupent. » Et l'on nous demande aujourd'hui d'être les deux en même temps ! Et l'on nous demande d'écrire aussi vite que notre ombre tout en nous détachant le plus possible du mur qui bloque notre regard vers l'horizon.

Italo Calvino (1923-1985) nous le rappelle :

> Dans la vie courante, le temps est un bien dont nous sommes avares ; en littérature, le temps est un bien dont on peut disposer tout à loisir, avec détachement : il ne s'agit pas de franchir

en tête une ligne d'arrivée fixée d'avance ; au contraire, si l'économie de temps est une bonne chose, c'est que plus nous
gagnons du temps, plus il nous sera donné d'en perdre.

La rapidité du style et de la pensée signifie au premier chef
l'agilité, la mobilité, la désinvolture ; autant de qualités qui vont
de pair avec une écriture prête à vagabonder, à sauter d'un sujet
à l'autre, à perdre cent fois le fil et à le retrouver après cent
virevoltes.   (*Leçons américaines*, Paris, Folio, 1992)

6.1. LA VITESSE ET L'OUBLI

Milan Kundera fait une admirable équation entre la lenteur et la
mémoire d'un côté, la vitesse et l'oubli de l'autre :

> Il y a un lien secret entre la lenteur et la mémoire, entre la
> vitesse et l'oubli. Évoquons une situation on ne peut plus
> banale : un homme marche dans la rue. Soudain, il veut se
> rappeler quelque chose, mais le souvenir lui échappe. À ce
> moment, machinalement, il ralentit son pas. Par contre,
> quelqu'un qui essaie d'oublier un incident pénible qu'il vient
> de vivre accélère à son insu l'allure de sa marche comme s'il
> voulait vite s'éloigner de ce qui se trouve, dans le temps, encore
> trop proche de lui.
>
> Dans la mathématique existentielle cette expérience prend la
> forme de deux équations élémentaires : le degré de la lenteur
> est directement proportionnel à l'intensité de la mémoire ; le
> degré de la vitesse est directement proportionnel à l'intensité
> de l'oubli.   (*La Lenteur*, Paris, Gallimard, 1995)

Alors ralentissons le pas et observons l'incohérence du monde
à l'aide du *delayed lead* (comme disent les Américains) que nous
traduirons par « lead différé ».

De quoi s'agit-il ? Si le lead direct *(hard lead)* va droit au but,
explique, montre et appâte en même temps, le « lead différé », lui,
« prend tout son temps ». Il montre et appâte dans le premier paragraphe mais n'explique que dans le deuxième, troisième ou même
quatrième paragraphe. Le danger, c'est de trop délayer. Tourner trop
longtemps autour du pot finit par lasser. Dans les cas les plus simples,
le *delayed lead* montre dans le premier paragraphe et explique aussitôt
dans le second.

Ce genre de leads est propre au *feature* (reportage). « Grande
Dame » du journalisme, le *feature* (que l'on peut aussi traduire par
papier magazine) marie les faits et les sentiments, et se rapproche de
l'art narratif, du récit. Il doit créer des émotions en misant sur les

cinq sens (tels que nous allons les voir plus bas), en prenant le temps de camper des personnages, de décrire en détail le décor et le contexte de l'action. Bref, en jouant sur une certaine mise en scène.

Prenons cet exemple de lead différé :

Ils voient des complots partout. Des divisions russes vivent camouflées en territoire américain. Washington s'apprête à livrer le pays aux troupes des Nations unies. La CIA asservit des jeunes filles afin de servir d'esclaves sexuelles aux présidents.

Ils ont leur vérité et elle est supérieure à toutes les autres. Ils vénèrent une Amérique mythique et ne veulent obéir qu'aux seules lois de la Bible et du colt.

Ils passent leurs week-ends à s'entraîner comme de vrais GI.

*« Ils », ce sont les milliers d'Américains organisés en milices armées pour mieux s'opposer au « rouleau compresseur de l'État ». (**Cœur de la nouvelle**)*

Le lecteur n'est pas mis d'entrée de jeu dans le cœur du récit. C'est dans le quatrième paragraphe que nous est révélé le véritable lead de l'article. Le même sujet avec un lead direct donnerait ceci :

Organisés en milices armées pour mieux s'opposer au « rouleau compresseur de l'État », des milliers d'Américains passent leurs week-ends à s'entraîner comme de vrais GI en vénérant une Amérique mythique et en n'obéissant qu'aux seules lois de la Bible et du colt.

Prenons un autre exemple de lead différé :

Devant le supermarché, ils sont cent cinquante. Des hommes, des femmes, des enfants, sortis de leur bidonville en shorts et sandales, hurlant : « On n'a pas de travail. On a faim ! » Face à eux, un cordon de policiers casqués et armés. Soudain, une personne s'élance, puis une autre, puis dix, vingt, cinquante… Elles poussent.

Débordés, les policiers n'osent pas intervenir. Les manifestants envahissent le supermarché et, en quelques minutes, le dévalisent (cœur de la nouvelle). Certains choisissent ce qui assurera leur survie pendant quelques jours. D'autres emportent ce qui leur tombe sous la main. Dans un sac-poubelle déjà bien rempli, un adolescent glisse une bouteille de cidre, pour Noël.

C'était mercredi, à Concordia, dans la province d'Entre Rios […]

(*Libération*, 20 décembre 2001)

Voici maintenant un *hard lead* d'agence sur le même sujet:

> **Buenos Aires (AFP)** – *L'Argentine, frappée par 42 mois de récession et de restrictions, au bord de la faillite financière, a été secouée hier par une vague d'explosion sociale avec le pillage d'une centaine de super-marchés et l'attaque de la mairie de Cordoba par des employés en colère.*
>
> *Déclenchées la semaine dernière, notamment à Rosario et à Mendoza, les violences ont redoublé au cours des dernières 24 heures dans tout le pays, à Cordoba, dans les villes de Concordia [...]*

Les deux leads sont bons, mais traiter une information sous un angle moins direct, plus personnalisé fait de plus en plus partie du quotidien des journaux. Les agences de presse, elles, ont des règles plus strictes dans la rédaction des leads.

6.2.   PAR UN SENTIER SINUEUX

Contrairement au lead direct – inventé par les agences de presse –, le lead différé ne présente pas de nouvelle à proprement parler. On y retrouve aucun fait brut. Nous sommes dans le *soft news*. Le lecteur entre dans la nouvelle par un sentier sinueux. Mais s'il n'est pas désirable de dire tout, tout de suite, si le lecteur qui a le temps (il en reste quelques-uns!) aime plonger dans une lecture plaisir où tout n'est pas ficelé dans le premier paragraphe, il ne faudra pas pour autant «annoncer la couleur» vers la fin du texte. Lire un reportage n'est pas lire un roman.

Prenons-en un au hasard:

> Le chemin s'élevait en lacets, et les cavaliers forçaient sur leurs montures, se collant à la paroi pour échapper au vertige du gouffre.
>
> Découvrir les sommets du Khurassan, avec juste un morceau de lune noyé au fond d'un énorme puits noir, tenait de la magie. Un décor de silence, creusé en abîme à deux mille mètres d'altitude. Les cavaliers avaient l'impression de fouiller les entrailles de l'obscurité, de fouler des hauteurs interdites, quelque part entre le ciel et la terre.
>
> Il aurait fallu de solides mulets de montagne pour gravir ces cols trop escarpés; mais Yako le fou imaginait mal des princes ismaé-lites escaladant le massif ouest de l'Afghanistan à dos de mulets. Depuis Kerman, l'antique cité des sables, ils avaient fui devant les deux mille cavaliers de Mohamed Sha. L'empereur perse avait daigné envoyer ses meilleurs guerriers pour détruire l'antique cité

des sables, et ses défenseurs s'étaient lancés dans le désert, avec armes et bagages, à la suite du premier Aga Khan, Mohamed Hassan Hussein. Sur cet éperon rocheux, à deux mille mètres d'altitude, la communauté ismaélite était hors d'atteinte [...]

L'air devenait de plus en plus froid. Au sommet d'une crête battue par les vents, il fallut faire halte pour que les hommes s'enduisent de graisse de mouton et s'enferment plus profondément dans leurs fourrures. La plupart n'avaient jamais connu des températures aussi basses [...]

Au lever du soleil, les deux cents cavaliers atteignirent la plaine basse de Ghurian, de l'autre côté de la passe rocheuse.

Ils forcèrent l'allure, en signe de victoire, et c'est une horde au galop qui déferla sur le sol afghan, saluant par des cris les premiers rayons du soleil.

Cette fois-ci, la grande aventure avait commencé.

(Jean-Paul Bourre, *Aga Khan*, Paris, Édition Encre, 1982)

Le reportage commencerait plutôt ainsi :

Fuyant devant les meilleurs guerriers de l'empereur perse Mohamed Sha, Yako le fou et deux cents cavaliers ismaélites déferlaient au galop sur le sol afghan, saluant par des cris les premiers rayons du soleil : la grande aventure commençait.

Proust détestait l'imparfait, le plus triste des temps, selon lui. Le lead ci-dessus, il l'aurait écrit au présent, un temps qui plonge davantage le lecteur dans le récit. Dans un lead différé, cependant, tous les temps sont bons – ce qui n'est pas le cas dans le lead direct dominé par le passé composé.

6.3. EXEMPLES ILLIMITÉS

S'il ne faut pas tout dire dès le départ dans un lead différé, la structure du texte ne doit pas non plus trop s'éloigner de la pyramide inversée au risque de retomber dans le triangle introduction-développement-conclusion.

Puisqu'il n'y a pas de véritable lead dans le premier paragraphe du texte, celui-ci comporte souvent plus d'une phrase. Ce qui est une autre façon de donner un certain rythme au lead grâce à une écriture plus syncopée.

Choisissez entre les deux leads :

Le roi du Tonga, Taufa'ahau Tupou IV, aime follement les mangues qu'il déguste tous les soirs dans les jardins de son palais.

ou

Le roi du Tonga, Taufa'ahau Tupou IV, aime les mangues. Follement. Il les déguste tous les soirs. Dans les jardins de son palais.

Le second lead a un « certain style » qui fait honneur au roi du Tonga...

Voici d'autres exemples de lead différé :

La chemise est blanche, impeccablement repassée, amidonnée. L'homme est jeune, avenant, le cheveu court, le sourire perpétuel. Son compagnon lui ressemble comme deux gouttes d'eau. Vous les avez probablement rencontrés au détour d'une rue, avalant les kilomètres, leur petit livre à la main.

*Les mormons sont connus pour leur travail de moine, si l'on peut dire. Plus d'une cinquantaine de milliers de missionnaires parcourent la planète de porte en porte pour baptiser les morts de l'humanité, condition sine qua non pour que « nos ancêtres atteignent le paradis ». Ces infatigables globe-trotters du baptême en profitent pour distribuer Le livre de Mormon, la bible de l'Église de Jésus-Christ des saints des derniers jours. (**Cœur de la nouvelle**)*   (*La Presse*, 4 juin 2001)

Elles carillonnent, sonnent à toute volée, les cloches. Le grand jour est enfin arrivé. Brigham Young avait raison. Sa prophétie se réalise : « Des rois, des empereurs et les nobles et les sages de la terre viendront nous rendre visite ici, et les pêcheurs et les non-croyants nous envieront nos maisons confortables et nos biens. »

Lorsque la flamme olympique brillera de tous ses anneaux ce soir au Rice-Eccles Olympic Stadium, les mormons présents parmi les 55 000 spectateurs auront une petite pensée pour le fondateur de la « nouvelle Jérusalem » – Salt Lake City, ville sage et dévote, agenouillée au pied des Wasatch, la majestueuse chaîne de montagnes couverte de la « plus belle neige du monde ».

*Brigham Young, qui conduisit ses 148 fidèles de l'Illinois à l'entrée du Grand Lac Salé en 1847, aurait-il aimé voir sa ville, son État, accueillir ces 19e olympiades d'hiver ? (**Cœur de la nouvelle**)*

Bilal l'Africain avait une voix remarquable. Le premier muezzin de l'islam n'aurait pas eu besoin de haut-parleurs pour lancer tous les vendredis aux fidèles de Mahomet : « Allah ou Akbar ! » (« Dieu est grand ! »), certes. Mais que peut-il faire contre la montée de l'« islamophobie » en Occident depuis les événements du 11 septembre ? *(Cœur de la nouvelle)*

Louis Eugene Walcott, fils du Bronx, violoniste et guitariste, marié et père de neuf enfants, se défend d'être un génie du mal : « Je ne suis pas méchant ; je suis comme le médecin qui dit ce qui ne va pas. »

Ce qui ne va pas, c'est un taux de chômage deux à trois fois plus élevé chez les Noirs que chez les Blancs ; c'est une espérance de vie inférieure à l'âge de la retraite ; c'est une croissance du nombre d'élus noirs bloquée à 1,5 ; c'est 60 % des familles sans père ; c'est [...] *(Cœur de la nouvelle)*

Lorsque le général Alvaro Obregon, un manchot proche des paysans, fut assassiné par un fanatique religieux, Plutarco Elias Calles surprit alors toute la classe politique mexicaine. Il ne proclama pas l'état d'urgence et ne s'accrocha pas au pouvoir. Non, le troisième président issu de la révolution mexicaine – qui fit plus d'un million et demi de morts – eut du génie politique : il créa un parti rassemblant le pot-pourri de forces politiques et syndicales sympathiques à la révolution de 1910, Le Parti Revolucionario Institucional (PRI) était né [...]. *(Cœur de la nouvelle)*

Faut-il dire qanimaqarunnaillinartuq (absence d'immunité contre les maladies) ou utiliser un mot plus « court » comme aniaakatitinatujuti (maladie qui dure à jamais) ?

Le débat linguistique autour du sida est ouvert dans le Grand Nord et trouver un synonyme en inuktituk de « syndrome immuno-déficitaire acquis » finit souvent par de chaudes discussions [...] *(Cœur de la nouvelle)*

Bill Carter a le sourire placide de celui qui voit le soleil blanchir l'horizon. C'est toujours à l'aube que l'on exécute les condamnés. Le photographe du Transcript, petit quotidien de l'Oklahoma, est prêt. Le doigt sur le déclic, il attend.

Coupable du meurtre, le 19 avril 1995, de 168 personnes, dont 19 enfants, et d'avoir fait quelque 600 blessés, Timothy McVeigh, fils blond de l'Amérique profonde, doit être mis à mort à l'aide d'une injection létale dans les veines ce matin à 7 h heure locale [...] *(Cœur de la nouvelle)*

Un entrefilet, à peine quelques paragraphes au début du mois pour annoncer la nouvelle, tombée comme un couperet sur les fils de presse : Jerry Dewayne Williams, un multirécidiviste, devra purger 25 ans de prison pour avoir volé une pointe de pizza à des adolescents californiens, en vertu d'une loi inspirée d'une règle de baseball et surnommé « three strikes and you're out » (à la troisième prise, vous êtes hors jeu).

Ce magasinier noir de 27 ans avait déjà été condamné pour vols, tentative de vol et possession de drogue. Désormais, dans l'État le plus peuplé de l'Union, tout malfaiteur récidiviste comptant déjà deux condamnations pour des délits graves pourra être passible d'une peine allant de 25 ans à la réclusion à perpétuité [...] *(Cœur de la nouvelle)*

Assad Kotaite n'était bien sûr pas né lorsque, le 7 décembre 1903, Wilbur Wright tint bon dans les airs à bord d'un assemblage de métal, de bois et de toile, avant de déposer 59 secondes et 284 mètres plus tard « Flyer 1 » dans un champ de Kitty Hawk, en Caroline du Nord.

En fait, la première fois que le président du Conseil de l'Organisation de l'aviation civile internationale (OACI) prit un « plus lourd que l'air », c'était en 1950, à l'âge de 26 ans, 47 ans après le premier vol de l'homme propulsé par un moteur. Aujourd'hui, à 68 ans, celui qui dirige l'organisation onusienne depuis 16 ans fait partie de ce milliard d'hommes et de femmes qui, bon an mal an, parcourent les cieux à bord d'avions de toutes sortes [...] *(Cœur de la nouvelle)*

Quand il fréquentait le collège de Joliette, Jean Chrétien jouait du cor dans l'harmonie. Comme l'instrument intéressait peu de monde, il était de tous les concerts. Mais le cor ne passe pas inaperçu et le directeur notait les fausses notes de son jeune élève de Shawinigan. C'était devenu une légende. Et chaque fois que « ver à choux », comme on le surnommait alors, se mettait les pieds dans les plats, les bons clercs de Saint-Viateur soupiraient : « Comme à l'harmonie, toujours à contretemps ! »

Il en est un peu de même depuis le début de cette mission d'Équipe Canada en Europe [...] *(Cœur de la nouvelle)*

(Michel Vastel, *Le Soleil*, 19 février 2002)

Ces extraits de textes avec des leads différés ne sont certes pas des œuvres littéraires mais, comme le rappelait Jean V. Dufresne, sans doute l'une des plus belles plumes journalistiques du Québec :

> À ceux qui doutent de la puissance de l'écrit comme acte créateur dans le journalisme, j'aimerais rappeler que l'insupportable fresque de *Guernica* s'inspire directement non de ce

que Picasso vécut lui-même de la guerre d'Espagne – il était alors en France – mais de ce que la presse en rapporta par le reportage écrit.

Après tout, Oscar Wilde a peut-être tort en affirmant que « la différence entre la littérature et le journalisme, c'est que le journalisme est illisible et que la littérature n'est pas lue ».

6.4. L'INFORMATION DANSE

Vous l'avez compris, le *delayed lead* répond au « quoi de neuf » dans un style narratif. L'information ne marche pas au pas, elle danse... Il faut avoir le sens de la formule, savoir mettre de la couleur, imager votre écriture, comme vous l'avez fait au chapitre 3 avec les leads descriptifs, légers ou parodiques.

Voici un lead direct (exercice 69) que vous devez changer en lead différé en plusieurs phrases courtes en imaginant, avec force détails, la scène du meurtre.

Exercice 69

La Gendarmerie royale du Canada a conclu qu'une scène montrant une femme assise sur une chaise et abattue à bout portant par un homme a été montée de toutes pièces pour être filmée par une caméra vidéo avant de se retrouver dans l'ordinateur personnel d'un Montréalais.

Dans les trois textes ci-dessous (exercices 70, 71 et 72), vous avez toute l'information qu'il vous faut pour plonger le lecteur dans un lead différé, à l'aide de deux paragraphes.

Exercice 70

Bien que sept Français sur dix consomment du camembert au moins une fois tous les quinze jours, ils délaisseraient ce fromage orgueil de la Normandie.

Symbole hexagonal indissociable du béret, de la baguette et du kil de rouge, le règne du camembert qui sent « comme les pieds du bon Dieu » prend l'eau, pire, coule.

La fabrication du camembert suit les étapes suivantes : il caille le premier jour et on le démoule le deuxième. Après un mois, son odeur finit par gêner les narines prétendument délicates.

Éxercice 11

Shirley Howard, vingt-six ans, mère de Kimberly, trois ans, poursuit deux médecins pour la somme de 96 000 $ parce qu'ils n'ont pas su détecter sa grossesse lors de cinq consultations différentes.

Éxercice 12

Le Canada finira peut-être par décider d'abandonner son dollar et d'opter pour la devise américaine. En attendant cependant, la Banque du Canada aurait choisi d'acheter désormais son papier-monnaie en Allemagne plutôt qu'au Québec.

6.5. UNE ÉCRITURE IMAGINATIVE ET INFORMATIVE

On le voit, le « style Underwood », du nom de la machine à écrire qui fut longtemps l'instrument préféré des journalistes, n'est pas la panacée. L'encre de votre stylo ne doit pas être toujours sèche. Loin de là ! Comme nous l'avons dit à la fin du premier chapitre, on peut très bien avoir une écriture à la fois imaginative et informative. Mais avant de devenir un artiste du mot coloré, avant même de vous lancer dans le monde merveilleux (et difficile) de l'écriture imagée, il faut savoir qui vous êtes.

Si vous ne le savez pas encore, vous pouvez peut-être vous découvrir à travers Jean-Paul Dubois. Pour lui, il y a le renifleur, le palpeur, le goûteur, l'écouteur et le voyeur.

Le renifleur
Il aime aussi bien traîner dans les rayons des eaux de toilette des grands magasins qu'aux abords d'une pizzeria. Il rêve d'épouser une pompiste ou une parfumeuse, adore sentir ses doigts imprégnés de tabac, et ses pieds après une longue marche en été. Les effluves corporels le transportent tout autant que la senteur de la bouse fraîche ou de l'herbe coupée. Pour le renifleur, toute odeur est bonne à prendre. Il n'en existe pas de mauvaises. Chacune est différente, possède son mérite, sa couleur, son histoire et sa vérité. Dans la vie, le renifleur se trahit par ce genre de phrase : « Tu le sens comment, ce travail ? »

Le palpeur
Il n'en finit pas de vous toucher. Le jour, il vous serre la main, vous prend par l'épaule, vous pince la joue, vous tape dans le dos. La nuit, il vous enlace, vous étreint, vous tripote, vous

caresse. Et le week-end il bricole. Le palpeur parle souvent avec les mains et ne croit que ce qu'il touche. Ses doigts ne sont jamais en repos et s'activent sur une clé, un trombone ou un ongle cassé. En marchant le long d'un couloir, son index effleure toujours la laque de la cloison ou la tenture murale pour en éprouver le lissé et la texture. Dans la vie, le palpeur est une pieuvre. Il ne vous lâche jamais.

Le goûteur

Il a une activité principale, manger, et un passe-temps secondaire, grignoter entre les repas. Le goûteur ne peut vivre sans avoir quelque chose dans la bouche. Il s'accommode aussi bien de chips que de barres de chocolat et se surprend à mastiquer avec autant de plaisir des bouchons de stylo que des gommes arabiques. Il boit des sodas sans soif et suce des réglisses sous prétexte de se parfumer l'haleine. La nuit il se relève pour avaler des pâtes froides. Il adore par-dessus tout, les sucreries et goûte avec curiosité toutes les nouveautés des fabricants de friandises. Le goûteur cherche avant tout à occuper ses papilles gustatives. Il n'est pas un gourmet, mais plutôt un aventurier, un éclaireur de l'alimentation dont la faim est sans fin. Pour lui, un mets est sucré ou salé, chaud ou froid, dur ou mou. C'est tout. Dans la vie, ayant toujours la bouche pleine, il parle peu.

L'écouteur

Il marche au bruit. En fait il le traque. C'est un identificateur né. Il reconnaît chacun des membres de sa famille à la sonorité de son pas et discerne le moindre cliquetis dans le moteur de sa voiture. Il perçoit les voix à travers les cloisons, surprend les conversations, sait que la tonalité du téléphone est accordée sur le 440 hertz et devine l'humeur de son correspondant au seul timbre de sa voix.

Pour lui, le monde n'est que claquement, vagissement, grondement, grésillement, tintement, grincement et sifflement. Dans son lit, l'écouteur ne peut s'empêcher d'entendre le bruit de son cœur et de sursauter au moindre craquement dans le grenier. L'écouteur est enfin ce genre de type qui tout en parlant avec vous prête une oreille attentive à ce qui se dit à côté.

Le voyeur

Avant tout, il veut voir plutôt que savoir. Il vit constamment sur la pointe des pieds et fait sienne cette pensée de Mao Tsé-toung : « Une image vaut dix mille mots. » Le voyeur possède un œil ultrasensible doté des focales les plus invraisemblables. C'est un observateur obsessionnel qui va repérer le moindre déplacement d'objet. Malgré lui, rien ne lui échappe. Tout ce qui est entré une fois dans son champ de vision est photographié et archivé. Le voyeur est sans cesse en activité. Il ne peut imaginer qu'une image soit vaine et chacun de ses regards est au moins un repérage, à défaut d'être un tournage. Le voyeur prend autant de plaisir à contempler la couleur d'une enseigne au néon d'une station-service que la Vénus aux fleurs de Botticelli. Dans la vie, le voyeur est un voleur d'images sans valeur.

(*Le Nouvel Observateur*, 16-22 mai 1991)

Écrire, c'est avoir tous ses sens en éveil afin de traduire sur le papier ce que l'on sent (une odeur fait titiller le cerveau de l'ami lecteur), ce que l'on goûte (il faut faire saliver l'ami lecteur avec des mots qui ne sont pas pasteurisés), ce que l'on touche, ce que l'on entend et ce que l'on voit (il faut se réapproprier ces trois derniers sens perdus depuis quelque temps).

Pour que l'encre de votre plume ne soit pas desséchée, elle doit être en accord avec les impressions de vos cinq sens. Vous devez décrire plus qu'écrire. *Show don't tell*, dit-on à Hollywood. « Regarde de tous tes yeux, regarde ! » Peut-on oublier ces mots du Tartare brûlant les yeux de Michel Strogoff (déjà cité au chapitre 2) avec un sabre chauffé à blanc ?

6.6. LA DICTATURE DE L'IMAGE

Nous vivons certes sous la dictature de l'image. « Une image vaut mille mots », disait déjà Sun Xi, cinq siècles après Jésus-Christ et plus de mille ans avant Mao Tsé-toung. Il est bon chaque fois qu'il le faut d'écrire dans une optique cinématographique où les images remplacent le texte.

Le critique de cinéma français Étienne Fuzellier a d'ailleurs bien vu les défis de l'écriture journalistique d'aujourd'hui :

> Dans le langage écrit ou parlé, le journalisme contemporain se trouve contraint de rivaliser autant qu'il est possible en coloration, en mouvement, en précision, finalement donc en présence avec l'image proprement dite, sinon sa langue aura un caractère abstrait et documentaire qui empêchera son message de toucher ceux qu'il veut toucher.
>
> (*Cinéma et littérature*, Paris, Édition du Cerf, 1964)

Italo Calvino, amené à saisir ce qui constitue « l'esprit du temps » du XXᵉ siècle, a rédigé pour des *Leçons américaines* un aide-mémoire pour notre millénaire, dont les six motifs dominants sont « légèreté, rapidité, exactitude, visibilité, multiplicité, consistance ». Il y fait l'éloge de la concision et nous met en garde contre les images :

> Nous vivons sous une pluie ininterrompue d'images ; les médias les plus puissants ne cessent de transformer en images le monde, le multipliant dans une fantasmagorie de jeux de miroirs : ces

images-là, bien souvent, sont dépourvues de la nécessité interne qui devrait caractériser toute image, en tant qu'elle est forme et signifié, en tant qu'elle s'impose à l'attention, en tant qu'elle est riche de sens virtuels. Une grande partie de cette nuée d'images, se dissout immédiatement, comme les rêves qui ne laissent aucune trace dans la mémoire ; ce qui ne se dissout pas, c'est une sensation d'étrangeté et de malaise.

Attention, donc. Même coloré, votre lead doit montrer beaucoup en peu de mots. Il doit demeurer une enclume pour marteler vos mots. Si un lead imagé est un nœud divin qui ficelle joliment les choses, gare à la séduction tous azimuts par l'image. « L'abus de la métaphore est la porte ouverte à la stéréotypie des idées parce qu'il entraîne une prolifération d'images qui semble nuire à la rigueur de la réflexion », rappelle justement Henri-Pierre Jeudy, un sociologue français (*Le Monde*, 12 décembre 1997).

« Pourquoi deux violons quand un seul suffit ? » ajouterait Antonio Vivaldi.

Le lead imagé peut être un lead direct ou différé. Dans le premier cas, la touche de couleur et la dose d'information sont réparties également. Dans le second, l'information « brute » se retrouve dans le corps du texte.

Un premier exemple de lead imagé direct ?

> *Le rosé demeure l'archétype du vin traître qui inflige, dissimulés derrière une fraîcheur de jouvencelle, maux d'estomac, migraines et dérangements intestinaux, tous dus à l'abus du soufre.* (Libération, 25 août 1997)

Comment s'arrêter après de si jolis mots ? Allons découvrir le sublead :

> *Le modèle courant affiche un nez de bonbon et frisotte légèrement, ce qui le flatte un peu. Les restaurateurs le servent glacé – manière d'en cacher les défauts. Débité à l'hectolitre pour les touristes, cette merveille n'est, en plus, pas donnée. Le déshonneur dans lequel est tombé ce vin fait éclore toute une floraison d'idées fausses. À commencer par la recette : le rosé ne s'élabore pas en mélangeant rouges et blancs, mais à partir de raisins rouges.*

Arrêtons-nous ici. Qu'avons-nous constaté ? Une belle phrase doit toujours être chargée d'information. Le dosage entre mots colorés et information pure est délicat mais nécessaire.

Un lead imagé ne l'est pas forcément dès le début de la phrase. Il peut même ne pas être rempli de couleurs. Il peut être imagé en jouant simplement avec les mots :

> *Discrimination, racisme, sexisme, non-respect des conventions militaires, indiscipline, destruction de pièces à conviction, fausses factures, détournement de fonds : l'armée canadienne ne cesse depuis deux ans d'essuyer le* feu nourri *de révélations qui* criblent *son image et* minent *dangereusement son moral.*   (*Libération*, 30 janvier 1997)

Voici d'autres exemples de lead imagé direct :

> *Le nationalisme québécois a toujours pratiqué la drave : il saute de billot en billot pour ne pas couler.*   (Luc Chartrand, *L'actualité*, 1ᵉʳ mai 1990)

> *Les débats amoureux sur les banquises canadiennes relèvent du sport extrême, à preuve les milliers de préservatifs annuellement distribués aux Inuits du Grand Nord, région où les maladies transmissibles sexuellement sont un véritable fléau.*

> *Eliott Ness doit se retourner dans sa tombe en s'arrachant les cheveux. Mort dans sa cuisine d'une crise cardiaque à 54 ans, le célèbre « Incorruptible » du FBI se demande sûrement comment le Federal Bureau of Investigation (FBI) a pu se mettre les pieds dans les plats en commettant tant de bévues en si peu de temps.*

> *Couleur de l'absolu et symbole de la négation du luxe, le noir est en lumière cet hiver dans la mode et dans la décoration, mais aussi chez les joailliers.*   (*Le Figaro*, 25 septembre 2001)

> *Étrange réveillon. Insaisissable Paris. Tant de rêve et d'appréhension confuse réunis. Un maelström d'attentes contradictoires, d'espérances, de méfiance. Et l'envie de faire la fête. Bien sûr la fête. Mais comment ? Et pourquoi ? Que célébrer au fond ? Un chiffre rond aux allures de page blanche ? Paris, cette nuit-là, paraissait hésiter...*
>
> (*Le Monde*, 2 janvier 2000)

Vous l'avez compris, le lead imagé direct reste un *hard lead* avec une touche de couleur. La structure du texte repose plus sur la pyramide inversée que celle du lead différé qui s'en détache mais ne s'en détourne pas pour autant.

Voici maintenant des exemples de lead imagé différé :

En silence, elles brodent. Avec leur fil, elles piquent et repiquent leurs aiguilles comme ces vieilles femmes d'Antoine de Saint-Exupéry qui « tout au long de leurs vies se sont lentement brûlé les yeux et, une fois racornies, toussotant, ébranlées déjà par la mort, ont laissé d'elles cette traînée royale ».

Elles brodent à points menus, mais ne ressemblent en rien aux héroïnes de La Citadelle *: nées avec le baby-boom, ces professeurs, femmes d'affaires, cardiologues, infirmières, avocates et autres ingénieurs se retrouvent dans un atelier où le soleil darde ses mille et un fils de couleur* […] *(Cœur de la nouvelle)*

Dans la mer de ténèbres, une étincelle avait lui... Et, une à une, d'autres étincelles parurent. Elles naissaient dans la nuit avec un brusque sursaut, tout d'un coup, et restaient fixes, scintillantes comme des étoiles... Elles se multipliaient à l'infini. C'était comme ces feux qui courent dans la cendre noire d'un papier brûlé...

Paris entier était allumé […] *(Cœur de la nouvelle)*

(Émile Zola, *Une Page d'amour*)

On pourrait parler du coup de feu de ses lèvres. Phyllis Lambert ne déclare pas: elle tonne, comme un canon. Et quand elle se prononce sur un sujet, on sent que le monde tremble.

« En matière de gestion du patrimoine, le Québec est encore une république bananière, lance Mme Lambert. C'est désastreux. C'est effarant. C'est une honte. Il faut trouver un moyen […] *» (Cœur de la nouvelle)*

(Stéphane Baillargeon, *Le Devoir*, 27 février 2002)

Lorsque King Kong grimpa deux par deux les étages de l'Empire State Building, il était sans doute trop occupé à sauver sa peau pour remarquer les petits oiseaux venus s'écraser contre les vitres du mythique gratte-ciel new-yorkais.

« Chaque année près de 100 millions d'oiseaux se tuent en Amérique du Nord en se cognant le bec contre des fenêtres et les hautes structures construites par l'homme », rappelle Douglas Stotz, un écologiste du Field Museum de Chicago.

Le carnage a surtout lieu d'avril à mai et de septembre à octobre, lors des grandes migrations sud-nord et nord-sud […] *(Cœur de la nouvelle)*

Sur les hauteurs de Tanger, dans le quartier ombragé dit de la Vieille Montagne, vit une princesse au regard de crépuscule et au visage hiératique, d'une beauté de gisante. Le teint mat, les pommettes hautes, l'iris châtaigne entouré d'un halo bleuté, elle porte depuis trente ans la seule tenue qui lui sied : voile de soie et djellaba classique, leurs teintes soigneusement assorties trahissant néanmoins la coquetterie d'une dame de 75 ans, dont les photos de jeunesse révèlent qu'elle porta un jour, avec élégance, le tailleur occidental. Elle se fond ainsi aisément dans la foule du souk où elle aime faire son marché. Ou alors dans le bled, où elle va régulièrement rencontrer les femmes éleveuses, tisserandes ou cultivatrices. Car elle admet une passion pour les femmes. Elle le dit sans emphase. Elle les trouve courageuses, volontaires, généreuses, pragmatiques. Et si dignes. Elle les sait essentielles pour l'essor du Maroc et les déteste soumises. Elles les voudraient plus libres. Éduquées, dotées d'un travail qui les émancipe de leurs hommes. Indépendantes. Car le Coran, dit-elle, n'a jamais prescrit leur sujétion. « Bien au contraire ! » [...] *(Cœur de la nouvelle).* (Le Monde, 15 février 2002)

Dans un lead imagé différé, il y a un plus grand feu d'artifice de mots, plus de couleur donc, que dans un simple lead différé. Dans les deux cas, le cœur de la nouvelle ne se trouve pas dans les premières lignes du texte.

6.7. DE RETOUR À TOMBOUCTOU

Vous êtes à Tombouctou, le vent du désert souffle. Les nuages annonciateurs d'un orage finissent par libérer la pluie attendue depuis un an. Si vous deviez peindre un lead imagé direct à partir de ces informations, il pourrait ressembler à ceci :

Le vent descendu du désert a mordu les noirs nuages, les a déchirés pour faire éclater l'orage et libérer ses énormes gouttes tièdes sur Tombouctou, privée de pluie depuis un an.

En un tour de main nous avons « campé » le décor. Voici ce que nous rappelle à ce sujet Hédi Kaddour dans *Pour les adjectifs, vous viendrez me voir* (Guide du Centre de perfectionnement de journalisme de Paris, 1996).

La bonne phrase du journaliste me fait souvent penser au coup de pinceau de l'aquarelliste : pas le temps de lécher la besogne car le soleil va disparaître ; pas le temps d'un retour car on ne ferait que diluer ; pas non plus trente-six choses à déployer car il n'y a qu'un angle de prise de vue. Il faut une sûreté qui ne s'acquiert que par une pratique forcenée.

Il faut s'inventer une phrase, pas seulement pour écrire, mais pour entendre et voir. Une phrase-radar. Les gens qui ont dans la tête en permanence quatre adjectifs, trois adverbes, deux incises, trois circonstancielles, un remords, deux précisions, quatre métaphores, une allusion, un jeu de mots et trois registres, seront toujours en retard au spectacle.

À vous de jouer avec votre pinceau. Mettez un peu de couleur en «peignant» un lead imagé direct, en plus d'une phrase. Vous n'êtes pas tenu de respecter l'ordre des mots.

Exercice 73

Travailler lorsqu'on a atteint l'âge d'or, c'est bon pour le moral. John Herschel Glenn Jr, le plus vieil astronaute de tous les temps, n'est pas le seul à le croire. Après un séjour d'un peu plus de huit jours dans l'espace, il vient de donner ce petit conseil aux trente-cinq millions d'Américains ayant comme lui dépassé l'âge de la retraite :

« Ne restez pas allongés sur le sofa ! »

Exercice 74

Tom Green a eu cinq femmes et trente-deux enfants. Il a été condamné à cinq ans de prison, ce qui fait de lui le premier polygame à être condamné depuis cinquante ans aux États-Unis. Il est convaincu d'avoir été condamné à cause des Jeux olympiques de Salt Lake City, pour ne pas ternir la réputation de l'Utah.

Restons toujours dans cette ville mormone et écrivons un lead imagé direct (en une phrase cette fois), en commençant par le «dateline» :

Exercice 75

Salt Lake City – *On l'appelle « light rail », le tramway qui grandit de plus en plus dans cette ville tranquille située au pied des monts Wasatch, sur une grande plaine désertique pas très loin du lac le plus salé des États-Unis.*

Difficile décidément de quitter la capitale de l'Utah. Faisons une fois de plus le même exercice :

Exercice 76

Depuis une dizaine d'années, Salt Lake City fait partie des dix agglomérations américaines ayant les plus forts taux de croissance économique et, évidemment, avec l'étalement urbain la voiture est la grande gagnante de ce rapide déploiement de béton dans l'ancien Ouest sauvage.

Passons de l'Ouest américain à un pays que l'Oncle Sam a bien connu et écrivons un dernier lead imagé direct à partir de ce qui suit :

Exercice 77

Le Vietnam ressemble à un chaton agile, mangeant avec avidité et n'ayant qu'un désir : se retrouver dans la cour des grands avec les tigres du Sud-Est asiatique.

Les trois prochains exercices consistent à « peindre » trois leads imagés différés, en une seule phrase :

Exercice 78

Le soleil tape fort entre les collines toutes vertes. Quelques brebis sont surveillées par un vieux berger marchant le long d'une piste pleine de poussière. Sur cette même piste, des camions partis d'on ne sait où roulent très vite vers Youpa, une localité de rien du tout de 3000 personnes au pied de la Cordillère des Andes.

Exercice 79

Tintin est allé au Congo mais pas au Soudan. Il n'a jamais visité le plus vaste pays d'Afrique et c'est dommage car cela lui aurait permis d'écrire enfin son premier « papier ».

Exercice 80

> *Les motos à Saïgon sont nombreuses au milieu d'une pollution extrême. Elles roulent à quelques centimètres de trottoirs où se trouvent soupes ambulantes, petits vendeurs, cireurs et mendiants.*

Les leads différés et imagés permettent de:

- surprendre et séduire le lecteur (angle original, ton du récit);
- rendre plus intéressante une information banale;
- informer sans ennuyer;
- développer et enrichir son style (en s'ouvrant à d'autres formes d'expression);
- mettre ses cinq sens au service de son style.

6.8.   ET LA « CHUTE » ?

Quand on a tout dit dans un *hard lead*, les conclusions sont inutiles, mais comment « verrouiller » son papier quand on l'a ouvert avec un *delayed lead*, surtout lorsqu'il est imagé? Il faut conclure de manière tout aussi imagée afin de respecter l'unité de ton du texte.

> Les judokas le savent bien : savoir chuter sans mal est une technique qui s'apprend. Pour le journaliste, pas de manuel du parfait tombeur. Seul l'entraînement au tapis compte. Et pour se dépêtrer d'un équilibre instable à la dernière ligne de son texte, il ne suffit pas d'ajouter l'éternel et très usé « affaire à suivre... », et encore moins l'hypocrite envoi final « Espérons que... souhaitons que... », etc.
>
> Et pourtant, il faut non pas nécessairement conclure, mais en tout cas retomber sur ses pieds, éviter l'interruption brutale du message. C'est affaire de rythme de lecture et d'équilibrage de phrases, sans doute, mais aussi de contenu. Et là, la chute ressemble à une porte : elle doit être ouverte ou fermée. Dans le premier cas, le rédacteur élargit son sujet, fait voir *in fine* une nouvelle perspective qu'il laisse en suspens, s'interroge sur l'avenir, amorce un rebondissement probable. Dans le second cas, il boucle la boucle, reprend un élément ou une image du début – ou même du titre – pour verrouiller l'article et l'inscrire dans un propos clos, dont la construction prend alors toute sa signification.
>
> (Frédéric Antoine, Jean-François Dumont, Bénit Grevisse, Philippe Marion, Gabriel Ringlet, *Écrire au quotidien, pratiques du journalisme*, Bruxelles, Evo Communication, 1995)

Parce qu'elle laisse subsister un certain mystère, la « chute ouverte » est moins prisée que la « chute fermée » qui boucle l'article comme il a été ouvert, avec des éléments du lead repris à la fin du texte. Cela donne une certaine unité.

Voici deux « chutes en boucle » (ou fermées) :

> *Les corps décomposés de quarante-deux dauphins, trois baleines et plusieurs milliers de sardines ont été trouvés le mois dernier au large du golfe de Californie, empoisonnés par du NK-19.*
>
> *Ce produit chimique, au contact de l'eau, devient luminescent dans l'obscurité et permet ainsi aux jets privés des narcotrafiquants de délester leurs cargaisons à des points précis du Pacifique. La « narcobalade » est finie lorsque les « précieux colis » sont acheminés par bateaux le long des côtes californiennes.*
>
> *C'est le cartel de Tijuana, dirigé par les frères Aellano Félix, qui contrôle le trafic du Pacifique [...]*
>
> *(Chute) Qu'ils sautent joyeusement dans le golfe du Mexique ou ailleurs, les dauphins ne craignent malheureusement pas les requins.*

> *Bill Clinton est devenu le champion des forces de l'ordre, tirant régulièrement à boulets rouges sur ceux qui « font la guerre à la police » et s'en prenant sans vergogne à sa bête noire : la national Rifle Association (NRA).*
>
> *(Chute) Bill Clinton « superflu » a décidé de prendre les armes contre la NRA mais il aura besoin de beaucoup de munitions pour faire un carton contre ce dur à cuire du paysage américain.*

Lorsqu'elle ne répond pas aux règles de la pyramide inversée, la chute est bien souvent aussi difficile à écrire que le lead. Il faut éviter de finir aussi sec que dans un texte coiffé d'un *hard lead*, de lancer de nouvelles idées, en bref de laisser le lecteur dans le doute. Mais il est bon surtout de ne pas offrir une montée dramatique se terminant par un « climax », comme on le voit dans certains films.

Un reportage journalistique n'est pas un film, il faut donc éviter « la loi de la progression continue qui veut que la tension dramatique soit conçue pour aller en croissant, jusqu'à la fin » (Michel Chion, *Écrire un scénario*, Paris, Cahiers du cinéma, I.N.A., 1985).

Il est bon cependant d'avoir des temps forts dans le corps du texte, des *peaks*, des arcs de tension avec des anecdotes, des descriptions, des personnages.

La « chute » viendra alors toute seule. À défaut d'être belle, elle doit être bonne.

6.9.   L'AVEUGLE ET SA SÉBILE

Louis Timbal-Duclaux, dans *L'expression écrite, écrire pour communiquer*, nous raconte cette petite histoire pour nous convaincre qu'il faut utiliser des images :

> Assis chaque dimanche à la porte d'une église, un aveugle avait posé à côté d'une sébile une ardoise portant ces mots : «Aveugle de naissance». Et il récoltait quelques maigres piécettes. Passe un homme, qui ne met rien dans la sébile, dit quelques mots à l'aveugle, prend l'ardoise, efface, récrit autre chose et remet l'ardoise en place. Le dimanche suivant, il revient : la sébile était pleine et l'aveugle radieux. Savez-vous ce que l'homme avait écrit sur l'ardoise ? «C'est le printemps et je ne le vois pas !»

Guy de Maupassant aimait rappeler ceci :

> Les mots ont une âme. La plupart des lecteurs et même des écrivains ne leur demandent qu'un sens. Il faut trouver cette âme qui apparaît au contact d'autres mots, qui éclate et éclaire certains livres d'une lumière inconnue, bien difficile à faire jaillir. Des hommes instruits, intelligents, écrivains même, s'étonnent aussi quand on leur parle de ce mystère qu'ils ignorent ; et ils sourient en haussant les épaules. Qu'importe ! Ils ne savent pas. Autant parler musique à des gens qui n'ont point d'oreilles.

Si, par ailleurs, vous réussissez à mettre en musique votre lead, à en faire un véritable riff – une «courte phrase musicale, d'un dessin mélodique et rythmique simple et marqué, répétée par l'orchestre dans l'exécution d'une pièce de jazz» –, ne vous arrêtez pas là.

Faites comme B.B. King, le roi du blues, qui nous disait en 1998 : «Il m'arrive encore de temps en temps de rechercher le son parfait. Aujourd'hui, quand je m'exerce, je cours véritablement après lui. "Existe-t-il ce son parfait ?" Je m'en suis rapproché, mais je ne l'ai encore jamais entendu.»

Accepte-t-il l'idée qu'il ne l'entendra peut-être jamais ?

> Non ! Non ! Je ne l'accepte pas. Tant qu'on est en vie, on a une chance. Et, tant qu'on étudie et qu'on fait des efforts, on a encore plus de chances. C'est pour ça que je continue à étudier et à m'exercer.   (Interview au bimensuel américain *Rolling Stone*)

En réussissant à mettre en musique votre lead, vous donnez le «la» à votre texte.

6.10. LA BIBLE D'IRVING

Lorsqu'il étudiait à l'Université d'Iowa, John Irving, comme tous les autres apprentis écrivains, a lu un petit livre, *The Elements of Style* (*Les fondements du style*), véritable bible des ateliers d'écriture aux États-Unis.

Que dit ce manuel écrit en 1919 par les professeurs Strunk et White, à propos du style?

> Placez-vous comme narrateur dans l'arrière-plan.
> Écrivez d'une manière qui vous vienne naturellement.
> Travaillez à un projet d'écriture qui vous convienne.
> Relisez, corrigez, réécrivez.
> Ne surécrivez pas.
> Ne surexposez pas les situations.
> Évitez l'usage des qualificatifs.
> N'expliquez pas trop.
> Ne fabriquez pas trop d'adverbes maladroits.
> Assurez-vous que le lecteur sache qui parle.
> Évitez les mots fantaisistes.
> Soyez clair.
> N'émettez pas d'opinions.
> Usez des figures de style avec la plus grande parcimonie.
> Évitez de faire au plus court aux dépens de la clarté.

Qu'en pense John Irving?

> À Iowa, je ne suis pas sûr qu'on m'ait enseigné quoi que ce soit. Mais je sais que les conseils de Vance Bourjaily, Kurt Vonnegut et José Donoso m'ont fait gagner du temps. Ce qu'ils m'ont fait découvrir sur mon écriture en particulier et sur l'écriture en général, je l'aurais découvert un jour ou l'autre. Mais grâce à eux, ça a été plus vite. Et le temps, c'est précieux pour un jeune écrivain qui a besoin d'avoir quelqu'un pour lui taper sur la tête et souligner certaines de ses phrases en rouge…
>
> (*Lire*, n° 173, février 1990)

Le seul but de ce petit manuel est de vous faire gagner du temps dans votre écriture. Choisissez toujours vos leads en fonction de vos qualités et handicaps rédactionnels, adaptez votre lead à votre sujet, à votre matière.

Voici trois petits communiqués de presse qu'il faudra réunir en un seul. L'exercice consiste à écrire un lead imagé direct sans présenter la maison d'édition ni les livres. Votre lead devra être onirique, faire rêver le lecteur. Le corps du texte présentera bien sûr la maison d'édition, les ouvrages cités, leurs auteurs et leurs caractéristiques, mais devra être aussi imagé que le lead. Concluez de manière tout aussi colorée.

Voici les trois communiqués de presse :

Exercice **81**

Mondia présente : Les grands voiliers

La collection « Trésors des mécanismes » présente, d'une manière vivante, l'histoire et l'évolution des techniques qui ont permis à l'homme d'aller toujours plus vite et toujours plus loin.

Cet ouvrage a été écrit par des spécialistes internationaux de la voile qui montrent, par un texte riche en anecdotes et plus de 400 schémas, dont 180 en couleurs, comment la volonté de l'homme de maîtriser les éléments fit la splendeur et l'efficacité des grands voiliers qui affrontèrent les océans.

Enrichi par les dernières découvertes de l'archéologie navale, ce livre s'adresse à tous ceux qui veulent revivre l'aventure technique des grands voiliers.

Mondia présente : Guide des 200 plus belles escales de Méditerranée

L'auteur de cet ouvrage, Ély Boissin, marin invétéré et amoureux de la Méditerranée, réussit à nous convaincre qu'il s'agit là de la plus belle mer au monde.

Il propose donc aux navigateurs un itinéraire incluant sept des quatorze pays encadrant la Méditerranée et plus de deux cents escales : Espagne, France, Grèce, Italie, Tunisie et Turquie.

Pour chaque escale, l'auteur présente un tableau complet qui évitera aux marins de vaines recherches ou d'amères déceptions : caractéristiques générales du port, de la ville, latitude, longitude, services, etc. Bref, un guide complet pour les navigateurs.

Mondia présente : Découvrir la planche à voile

À quelques jours et quelques degrés de l'été, les véliplanchistes, débutants ou avancés, pourront, grâce à cet ouvrage, acquérir ou renforcer les notions essentielles à la pratique de la planche à voile.

« Découvrir la planche à voile » est divisé en trois parties distinctes, de manière à suivre efficacement l'apprentissage de la technique : la première partie s'adresse donc au débutant, du choix de la planche aux notions de courant. La seconde partie s'intéresse plus particulièrement aux notions techniques de la planche à voile : étude de la voile et du gréement, étude du flotteur, centre vélique, etc. Enfin, la troisième partie différencie les types de planches : planche de saut, de vitesse, fun, et en illustre les caractéristiques.

Maintenant que vous avez donné au texte la souplesse de la mer, qu'avez-vous constaté? Jean V. Dufresne nous répond: «Un article bien écrit, c'est d'abord un article écrit avec plaisir.»

L'écrivain portugais Antonio Lobo Antunes nous le rappelle plus crûment: «Il faut être efficace; attraper le lecteur par les couilles et ne plus le lâcher.»

L'écriture est, dit-on, une blessure. C'est en tout cas, pour paraphraser Franz Kafka, une forme de prière. Un art difficile qui se perd de plus en plus. Pour «fidéliser» votre lecteur, charmez-le avec des mots qui résonnent comme les pépites d'or de Conrad Doré et de Jos Leblanc (nos deux prospecteurs du chapitre 3).

«Le style est une façon très simple de dire des choses compliquées.» Jean Cocteau avait raison. Et, précisait Gustave Flaubert: «On n'arrive au style qu'avec un labeur atroce, avec une opiniâtreté fanatique et dévouée.» Quel que soit votre style, n'obligez pas le lecteur à (trop) se fatiguer pour vous comprendre.

Le style, c'est aussi le sang de la phrase. «Je verse mon sang chaud sur le papier», disait Lao She, grand maître de la littérature populaire chinoise, auteur de la *Maison de thé*, retrouvé noyé, la tête immergée dans le lac de la Paix, à Pékin en 1966.

Direct ou différé, sec ou imagé, le lead peut «chanter» mais ne doit jamais faire de couacs. La clarté est la note préférée du lead.

7

« MARCHER VERS DIEU »

Saviez-vous que Chateaubriand pouvait passer de douze à quinze heures de suite à raturer? L'auteur des *Mémoires d'outre-tombe* avait bien lu *L'Art poétique* de Nicolas Boileau et son conseil suivant:

> Vingt fois sur le métier remettez votre ouvrage;
> Polissez-le sans cesse et le repolissez;
> Ajoutez quelquefois, et souvent effacez.

Travailler une matière, c'est en général en retrancher. Antoine de Saint-Exupéry a raison: «Qu'est-ce qu'écrire sinon corriger! Et de correction en correction, je marche vers Dieu.» (*La Citadelle*, Paris, Gallimard, 1948)

Céline, lui, affirmait écrire 80 000 feuillets pour en tirer 800. Vrai? Faux? Peu importe, il n'y a pas qu'en littérature qu'une page sur deux est souvent de trop. Tous les journaux sont truffés de textes qu'on pourrait charcuter du cinquième, du quart de leur longueur sans réduire grand-chose de leur contenu informatif.

Écrire brièvement quand personne n'a la patience de lire longuement, ne pas noyer le lecteur dans des textes de 500 lignes quand l'ami lecteur, toujours hâtif, surfe sur à peine 500 mots en ayant consommé tant d'énergie cérébrale qu'il se sent épuisé après sa lecture: voilà en quoi consistent les exercices de ce dernier chapitre.

Récrire ce qui a déjà été écrit, c'est souvent raccourcir en comprimant des phrases, en rendant clair ce qui était clair-obscur et précis ce qui était vague.

La démarche peut être schématisée (voir page suivante).

Récrire est bien souvent plus difficile qu'écrire. Vous vous rappelez le triangle actualité-intérêt-conséquence (chapitre 2)? Utilisez-le pour «dégrossir», «dégraisser» à tour de bras, pour maîtriser l'art de la coupure, du montage, du rewriting.

7.1. LINCOLN, KENNEDY, SEPT LETTRES

Saviez-vous qu'Abraham Lincoln et John Fitzgerald Kennedy furent tous deux assassinés un vendredi en présence de leur femme? Le secrétaire de Lincoln s'appelait Kennedy. Le secrétaire de Kennedy s'appelait Lincoln. John Wilkes Booth (né en 1839) tira sur Lincoln dans un théâtre et se réfugia dans un entrepôt. Lee Harvey Oswald (né en 1939) tira sur Kennedy à partir d'un entrepôt et s'abrita dans un théâtre.

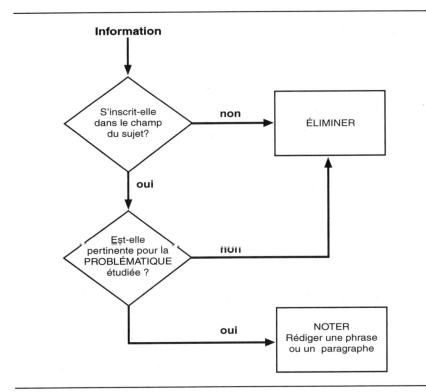

Source: D'après Gilles Ferréol, Noël Flageul, *Méthodes et techniques de l'expression écrite et orale*, Paris, Armand Colin, 1996, p. 19.

Les noms de Lincoln (élu en 1860) et Kennedy (élu en 1960) comprennent chacun sept lettres. Ceux de leurs assassins, quinze lettres chacun. Troublant, non ?

Lawrence Augustus Godbright, le journaliste de l'Associated Press (AP) qui couvrit l'assassinat de Lincoln, commença ainsi son papier : « Le président Lincoln et sa femme, en compagnie d'autres amis, se rendaient ce soir au Ford's Theater... » Il fallut parcourir pas moins de deux cents mots avant d'apprendre que l'on avait tiré sur Lincoln.

Mauvais lead donc. Dans l'exercice qui suit, ne faites pas comme lui. Annoncez à vos lecteurs que Lincoln est mort. Ils ne le savaient peut-être pas ! L'écrivain britannique Gilbert Keith Chesterton (1874-1936) disait : « [Le journalisme] consiste largement à annoncer ceci : "Lord Jones est mort" à des gens qui n'ont jamais su que Lord Jones était vivant ! »

Après avoir écrit le lead, à l'instar du pépiniériste examinant un arbre pour mieux l'élaguer, réduisez l'article du *Monde* ci-dessous (daté du 16 avril 1995) en un maximum de dix à douze paragraphes sans en perdre la « substantifique moelle ». Le rewriting, c'est ça !

Exercice 82

Chargé ce soir-là de la protection du président des États-Unis, John F. Parker passait pour un policier négligent et ivrogne. Nous sommes le 14 avril 1865. Accompagné de son épouse, Abraham Lincoln vient d'arriver au Théâtre Ford de Washington. La porte de la loge est poussée mais non verrouillée. Dans le couloir où il est seul en faction, Parker s'ennuie. Aussi décide-t-il d'aller boire un verre dehors. La voie est libre. L'assassin se glisse dans la loge, braque un Derringer, un fort calibre, sur la nuque du président et tire. Il s'appelle John Wilkes Booth. Profession : acteur. Fanatique, farouche partisan des Sudistes qui ont fait sécession de l'Union américaine cinq ans plus tôt, il a agi de son propre chef. Lincoln mourra le lendemain après une nuit d'agonie. Il a cinquante-six ans [...]

Booth avait assisté peu auparavant en spectateur à un discours que Lincoln prononçait du haut d'un balcon de la Maison-Blanche. Une nouvelle fois, le président avait évoqué son projet d'accorder le droit de vote aux Noirs sachant lire et écrire. À un ami qui l'accompagnait, Booth avait lancé, hargneux : « Ça veut dire la citoyenneté pour les Nègres. Eh bien, à présent, nom de Dieu, je vais lui faire son affaire. C'est bien le dernier discours qu'il prononcera. »

L'élection de Lincoln marque le début de la guerre de Sécession. Elle fit 620 000 victimes [...] Lincoln n'est pas seulement l'homme qui, d'une union précaire, a fait des États-Unis une nation. L'Amérique lui doit aussi l'abolition de l'esclavage, à laquelle il se résolut après maintes tergiversations politiques, même s'il était lui-même un antiesclavagiste convaincu.

On peut dater de cette époque la nouvelle naissance des États-Unis. Industrielle et conquérante, soudée par une vision optimiste de l'avenir, l'Amérique d'après la guerre de Sécession est désormais elle-même.

Lincoln est le symbole tragique de cette renaissance, engendrée dans les larmes et le sang. S'il n'a pas instauré la démocratie en Amérique, il l'a préservée et fortifiée. Il sut la théoriser mieux que quiconque en son temps. Bref, ce fils de pionnier inculte fut un grand homme.

Il était né dans une cabane de rondins, le 12 février 1809, non loin de Hodgenville, dans le Kentucky.

La famille est pauvre, dure à la tâche. Les deuils la frappent périodiquement. Les conditions de vie sont épouvantables à cette époque dans ce qui va devenir le Middle West. Mi-charpentier, mi-paysan, le père de Lincoln, dont la famille a émigré d'Angleterre au XVIIᵉ siècle, quitte le Kentucky pour l'Indiana puis l'Indiana pour l'Illinois, toujours à la recherche de terres bon marché et fertiles, que le jeune Abraham aide son père à défricher. [...]

En 1837, autodidacte boulimique, Lincoln vient d'être admis au barreau de l'Illinois. Il a exercé entre temps de multiples métiers: garçon meunier, receveur des postes... Il s'est ruiné comme commerçant et a tâté de la politique locale avec des fortunes diverses.

Il est grand, dégingandé, laid et sujet à de fréquents accès de mélancolie. Ses ennemis politiques voient en lui un rustre et moquent son accent de cul-terreux. Il est surtout fort ambitieux et profondément honnête. C'est un travailleur infatigable et un excellent orateur [...]

Lincoln doit à un échec doublé d'une injustice sa carrière politique nationale. En 1858, le sénateur de l'Illinois, Stephen A. Douglas, un démocrate, décide de se représenter. Les républicains de l'État lui cherchent un adversaire. Ce sera Lincoln, auquel des joutes oratoires restées fameuses vont l'opposer durant une campagne mémorable. Douglas sera réélu, à la faveur d'un découpage électoral qui lui est favorable, mais c'est sur son adversaire que se sont portés la majorité des votes. Qu'importe! La réputation de Lincoln est maintenant établie, au-delà même de l'Illinois.

Moins en vue que ses principaux concurrents républicains, Lincoln doit à ce handicap et à ses qualités de politicien désormais aguerri l'investiture de son parti pour l'élection présidentielle de novembre 1860 [...].

Un slogan fait florès qui prétend résumer le programme du candidat: « Républicain noir, amour libre, nègre libre. »

L'élection de ce héros rustique [...] *provoque la déflagration attendue – à laquelle lui-même ne croyait pas. Le 10 décembre 1860, la Caroline du Sud fait sécession, bientôt suivie de douze autres États. La guerre civile a commencé. Le calvaire de Lincoln aussi.*

Deux Amériques se font face en ce milieu de siècle: le Nord industriel et fédéraliste; le Sud agraire et partisan d'une large autonomie des États. Depuis quelques années déjà, l'équilibre est rompu entre ce qui va devenir l'Union, au nord, et ce qu'on appellera la Confédération, au sud. Déséquilibre démographique : la croissance de la population est de 20 % supérieure au nord, où les nouveaux immigrants préfèrent s'installer. Déséquilibre économique : les 42 % d'Américains qui vivent au Sud détiennent 18 % seulement des capacités de production des États-Unis d'alors.

L'avenir de l'esclavage divise profondément ces deux Amériques. Le Nord est largement abolitionniste. Par idéalisme. Par pragmatisme, surtout. [...] Aristocratique et cotonnier, le Sud ne veut pas entendre parler de l'émancipation des Noirs. [...]

On doit à « Honest Abe », à Abraham le scrupuleux, l'émancipation des Noirs du Sud, décrétée par lui le 1er janvier 1863 alors que la guerre fait encore rage [...]

Les tourments qui furent ceux d'« Abraham 1er, l'Africain », comme on disait au Sud, sont inimaginables. La guerre de Sécession fut son chemin de croix, le coup de feu de Booth, son assassin, son Golgotha. À plusieurs reprises, jusqu'aux jours ultimes du conflit, Washington fut menacée par les raids des Gris (les confédérés) particulièrement audacieux [...]

Lincoln suivait les opérations, torturé et anxieux. Deux photos de lui, prises en mars 1861, peu après son arrivée à Washington, et en avril 1865, quelques jours avant son assassinat, montrent un homme prématurément vieilli.

Le 19 novembre 1863, il est à Gettysburg (Pennsylvanie), où, au mois de juillet précédent, une bataille décisive a fait 51 000 morts, dont 28 000 Sudistes. Il y prononce le discours le plus fameux et le plus bref (deux minutes, 272 mots de l'histoire des États-Unis. Par anticipation, son testament politique : « C'est [...] à nous de nous consacrer [...] à la grande tâche qui nous reste [...] Pour que cette nation, sous les yeux de Dieu, vive une nouvelle naissance de la liberté – et pour que le gouvernement du peuple, par le peuple, pour le peuple, ne disparaisse pas de la terre. »

Son assassinat laisse intacte la légende. Lincoln fut facilement réélu en 1864. Aurait-il su mener à bien la reconstruction du pays ? Plus déterminé que lui à lui faire payer sa dissidence au Sud, le Congrès s'apprêtait à mener la vie dure à un président épuisé par les épreuves. La reddition des confédérés acquise, il n'aurait eu qu'un souhait : retrouver son cabinet d'avocat à Springfield [...]

7.2. MAIS OÙ EST...

Vous êtes à présent habile avec vos leads. Vous évitez de plus en plus les mots inutiles, les interminables circonvolutions et circonlocutions, les phrases creuses et oiseuses. Vous réussissez de plus en plus à transmettre le maximum d'informations en un minimum de mots. Vous avez désormais une bonne longueur d'avance sur celui qui transmet peu de choses en beaucoup de mots.

Vous savez repérer et éliminer les mots parasites, inutiles, n'apportant rien à la compréhension de la phrase et ralentissant sa lecture. Vous détectez même dès la première lecture où se trouve « le vrai, le seul, le meilleur lead » dans un texte (chapitre 2).

Passons à l'étape suivante : résumer des textes en un seul paragraphe – en faire une brève avec uniquement un lead. Voici un exemple :

> Des millions d'automobilistes ne pourront bientôt plus rouler dans Londres. Dévoilé en juillet par Ken Livingstone, le maire de la métropole britannique, le projet fera de la ville de 15 millions d'habitants la première agglomération occidentale à réclamer des sous aux véhicules entrant dans le cœur de la cité. Ils seront tenus de débourser cinq livres pour entrer dans le « no man's land », surveillé 24 heures sur 24 par une « armée » de caméras numériques. Cette première mondiale, qui vise bien sûr à réduire les « bouchons », doit servir à l'amélioration des transports en commun. Si tout marche comme convenu, malgré l'opposition d'une bonne partie des Londoniens, ce projet pourrait être copié dans d'autres villes telles que Birmingham, Manchester et Cambridge notamment.

Voici ce que l'Agence France-Presse nous offre comme solution :

> *Londres s'apprête à taxer les automobilistes qui traverseront le centre de la capitale britannique afin de réduire les embouteillages et financer l'amélioration des transports publics, une première mondiale qui pourrait éveiller l'intérêt d'autres grandes villes.*

Un autre exemple :

> La ville est située à environ 1000 kilomètres au sud-est de Moscou. Elle compte plus d'un million d'habitants. C'est un important centre industriel. Et c'est le chef-lieu de la région du

même nom, l'une des plus grandes de la fédération de Russie par sa superficie (115 000 kilomètres carrés).

Oui, mais quel nom ?

La ville peut porter trois noms différents. Actuellement, c'est Volgograd. Pour une raison bien simple : c'est la Volga qui la traverse. Entre 1925 et 1961, c'était Stalingrad. Un nom à la gloire du tyran. Avant 1925, pendant quatre siècles, ce fut Tsaritsyne. Traduction inutile. Alors, quel devait être son nom ? L'affaire est historique et politique. Les communistes russes viennent en effet de proposer le retour au nom de Stalingrad.

La ville a donné son nom à l'une des plus grandes batailles de la Deuxième Guerre mondiale. Au cours de près de 200 jours (du 17 juillet 1942 au 2 février 1943), sur un territoire de 100 000 kilomètres carrés autour de Stalingrad et dans la ville même, ont péri un quart des forces de Hitler engagées sur le front soviétique. Là, un million de soldats soviétiques et allemands ont laissé leur vie.

Les communistes suggèrent donc que, au nom de la mémoire et du patriotisme, on procède à ce changement en 2003, à l'occasion du 60ᵉ anniversaire de la bataille.

Pour les démocrates russes, la manipulation est évidente : les communistes, en perte de vitesse, cherchent des points d'ancrage idéologiques, même, comme dans ce cas, purement cyniques, basés sur l'amnésie des uns et la nostalgie des autres ; ils essayent de profiter de l'occasion pour réhabiliter Staline et se doter d'un grand, d'un très grand symbole.

Les communistes se prendraient donc à rêver. Le nom de Staline, la momie de Lénine (dans le mausolée au centre de Moscou) et l'hymne soviétique, qui est à nouveau officiellement joué : en avant vers le passé ?

(*Le Soir* de Bruxelles, 25-26 août 2001)

Voici votre lead :

Au nom de la mémoire et du patriotisme, les communistes russes en perte de vitesse, proposent de rebaptiser Volgograd en Stalingrad en 2003 à l'occasion du 60ᵉ anniversaire de la bataille ayant fait un million de morts dans la ville même et dans les alentours.

À vous de « jouer ».

Exercice 83

Dans son journal intime pour l'année 1999, dont les cinq volumes ont été publiés le 4 janvier par les Archives de la Mongorie, Wang Zung Tong, président de la Mongorie de 1929 à 1950 et de 1960 à 1977 –, affirme qu'il était dirigé par des mains invisibles venant d'un pouvoir extraterrestre, et que ses rêves étaient des indications pour gouverner la Mongorie.

À l'occasion d'un voyage à Tombouctou, l'ancien président mongorien ne put s'empêcher de participer à des séances de spiritisme, séances qu'il avait dû abandonner à cause d'une crise cardiaque.

C'est au cours d'un de ses « rendez-vous avec l'au-delà » qu'il serait entré en communication avec son père, sa mère, son frère, sa sœur et même son arrière-grand-mère.

« Ce fut une expérience stupéfiante, écrit Wang Zung Tong, dans son journal de 2222 pages. Ma mère m'a passé la main dans les cheveux, mon frère s'est tenu à côté de moi et m'a donné une tape dans le dos. »

En plus d'entrer en contact avec des membres de sa famille, celui qui de tous les présidents mongoriens resta en fonction le plus longtemps vouait un véritable culte à ses chiens avec lesquels il était certain d'entretenir des contacts spirites.

« J'ai dit à Kat Ier de s'approcher afin de recevoir une petite caresse », écrit Wang Zung Tong, qui confie en outre avoir réveillonné en 1950 seul avec son chien : « Mon petit Kat et moi, nous nous souhaitâmes une bonne année avant de nous endormir chacun de notre côté. »

Wang Zung Tong, qui ne dédaignait pas à l'occasion s'entourer de jolies femmes, trouvait que ses ministres s'amusaient trop et il craignait constamment qu'un scandale n'éclate dans les salons de la capitale mongorienne.

En revenant de la conférence de la paix à Tombouctou, il se trouva au milieu d'une réception dans la chambre d'hôtel d'un des membres de son cabinet et fut « choqué, irrité et dégoûté » par la façon dont les invités « mangeaient et buvaient ».

Wang Zung Tong se sentait d'ailleurs délaissé par ses ministres et collaborateurs.

Allons à présent à Vornéo, ce pays oublié, avec cet autre texte :

Exercice 84

Le 28 février, à onze heures du soir, un homme portant une cagoule blanche déclarait aux téléspectateurs du Vornéo que leur pègre avait transformé leur capitale en un « relais de prédilection » du trafic international des drogues.

L'homme masqué – qui serait un mafioso – précisa, d'une voix déformée par un système électronique complexe, que les trois plus grandes villes de Vornéo étaient devenues les principales portes d'entrée des drogues dites dures sur le continent asiatique, grâce notamment à la « filière vornéoienne » qui constituerait un maillon des plus actifs dans le commerce international des narcotiques.

Un agent du service américain de lutte contre le trafic des stupéfiants devait ajouter ce soir-là que le commerce de la drogue à Vornéo était contrôlé par des « familles », pour la plupart vornéoiennes, dont la brutalité n'avait rien à envier à celle de leurs « cousins » américains.

« Bien sûr, ce n'est pas évident, car les rues ne sont pas semées de cadavres. Ils ne passent pas en voiture pour se tirer dessus avec des mitraillettes », déclara M. Michael Machette de la Drug Enforcement Administration (DEA), au cours de l'émission télévisée consacrée au crime organisé à Vornéo.

L'émission, résultat d'une enquête de deux ans et demi à l'aide de micros et de caméras cachés, montre certains « parrains » de Vornéo allant à des réunions pour « discuter de trafic de stupéfiants, de prêts usuraires ou de prostitution ».

La caméra se promène partout. Une séquence du programme montre l'intérieur d'un appartement situé dans une zone industrielle de la capitale du Vornéo, transformé en laboratoire pour la fabrication d'amphétamines et bourré d'armes à feu de toutes sortes.

Les chefs mafieux, ajoute le rapport, se promènent dans de luxueuses voitures, possèdent des maisons calquées sur celles de Hollywood, utilisent des jets privés et règnent sur le marché de la drogue par le chantage et l'assassinat.

Dans un pays qui a vu croître en l'espace de seize ans le nombre de ses héroïnomanes de 800 à près de 20 000, la lutte contre les trafiquants de drogue reste un perpétuel recommencement.

Comme l'explique un policier de Vornéo : « Il n'y a pas de plus cruel animal que le trafiquant de drogue. Il n'y a pas de victime plus docile que le drogué. L'animal n'a pas besoin de courir, puisque la victime l'attend toujours impatiemment… »

Passons cette fois à un peu de littérature. Pourquoi pas le classique *Madame Bovary* (chapitre premier) de Gustave Flaubert?

Exercice 85

« Levez-vous », dit le professeur.

Il se leva; sa casquette tomba. Toute la classe se mit à rire.

Il se baissa pour la reprendre. Un voisin la fit tomber d'un coup de coude; il la ramassa encore une fois.

Il y eut un rire éclatant des écoliers qui décontenança le pauvre garçon si bien qu'il ne savait s'il fallait garder sa casquette à la main, la laisser par terre ou la mettre sur sa tête.

Il se rassit et la posa sur ses genoux.

« Levez-vous! reprit le professeur, et dites-moi votre nom »

Le nouveau articula d'une voix bredouillante un nom inintelligible.

« Répétez! »

Le même bredouillement de syllabes se fit entendre, couvert par les huées de la classe.

« Plus haut! cria le maître, plus haut! »

Le nouveau, prenant alors une résolution extrême, ouvrit une bouche démesurée et lança à pleins poumons, comme pour appeler quelqu'un, ce mot: Charbovari.

Choisissons à présent un auteur « à la mode », Paulo Coelho:

Exercice 86

Au commencement de l'année 870 avant Jésus-Christ, une nation connue sous le nom de Phénicie, que les Israélites appelaient Liban, commémorait presque trois siècles de paix. Ses habitants avaient de bonnes raisons de s'enorgueillir: comme ils n'étaient pas très puissants sur le plan politique, ils avaient dû mettre au point une force de négociation qui faisait des envieux, seul moyen de garantir leur survie dans un monde constamment dévasté par la guerre.

Une alliance contractée aux environs de l'an 1000 avant J.-C. avec Salomon, roi d'Israël, avait favorisé la modernisation de la flotte marchande et l'expansion du commerce. Depuis lors, la Phénicie n'avait cessé de se développer.

> *Ses navigateurs avaient déjà atteint des régions lointaines, comme l'Espagne et les rivages baignés par l'océan Atlantique. Selon certaines théories – qui ne sont pas confirmées –, ils auraient même laissé des inscriptions dans le Nordeste et dans le sud du Brésil. Ils faisaient le négoce du verre, du bois de cèdre, des armes, du fer et de l'ivoire. Les habitants des grandes cités de Sidon, Tyr et Byblos connaissaient les nombres, les calculs astronomiques, la vinification, et ils utilisaient depuis presque deux cents ans un ensemble de caractères pour écrire, que les Grecs dénommaient alphabet.*
>
> *Au commencement de l'année 870 avant J.-C., un conseil de guerre était réuni dans la cité lointaine de Ninive. Un groupe de généraux assyriens avait en effet décidé d'envoyer des troupes conquérir les nations bordant la mer Méditerranée et, en premier lieu, la Phénicie [...]*
>
> (*La Cinquième Montagne*, Prologue, Paris, Éditions Anne Carrière, 1998).

7.3. ... DONC LE LEAD?

Pour rédiger le lead suivant (toujours sans sublead), il faudra miser sur le triangle actualité-intérêt-conséquence. Quels sont les éléments les plus nouveaux du dossier? Quel intérêt et quelle conséquence y a-t-il pour le lecteur? La réponse se trouve dans le corps du communiqué de presse suivant.

Exercice 87

> *Les 9000 éboueurs de la ville de Détritus sont en grève depuis deux semaines maintenant et les émanations volatiles qui se dégagent des rues nauséabondes sont loin de plaire aux habitants de la métropole québécoise.*
>
> *Ce lundi, les boueurs – sans convention collective depuis trois mois – ont décidé de faire valoir leur point de vue en public. Ils ont ainsi profité de l'assemblée régulière du conseil municipal qui se tenait lundi soir.*
>
> *Leur manifestation fut spectaculaire. Ils sont en effet arrivés à l'hôtel de ville dans leurs camions débordant d'ordures. Ils étaient plus de 12 000, accompagnés de leurs épouses et enfants.*

Mal rasés et nauséabonds, ils sont entrés bruyamment, en hurlant à tue-tête contre les conseillers. Leur arrivée a perturbé le déroulement prévu des discussions entre les conseillers et retardé de près de deux heures l'ordre du jour de l'assemblée.

Les éboueurs ont laissé le président de leur syndicat, Nelson Parfum, se faire leur porte-parole. Ce dernier a d'abord répété à l'intention des conseillers les accusations de son syndicat contre le médiateur Hermès Chanel : incompétence pour diriger les négociations, paternalisme, autoritarisme, malhonnêteté, etc. M. Parfum a même réclamé la tête de M. Chanel.

Il a aussi répété ce que demandent les grévistes pour mettre fin à leur débrayage qui a fait de Détritus la plus grande poubelle du globe : hausse salariale de 40 pour cent au cours des deux prochaines années pour faire face à l'inflation galopante, réduction du nombre d'heures de travail de 35 à 25 par semaine, augmentation des congés de maladie ainsi que des vacances mensuelles.

« C'est tout ce que nous demandons. Nous sommes loin d'être exigeants. C'est à prendre ou à laisser », de dire M. Parfum, chaleureusement applaudi par les éboueurs en transe.

Après le départ des grévistes, les conseillers ont unanimement décidé de faire appel au ministre du Travail, M. Pierre Arôme, pour mettre fin à la grève.

Dans sa résolution, le conseil estime que la ville a, à toutes fins utiles, perdu le contrôle de son service sanitaire et que des personnes extérieures à la ville pourraient mieux travailler à une solution tout en mettant fin aux moyens de pression des boueurs.

Examinons maintenant l'allocution télévisée du président de la Youkitie, Igor Mohmek, lundi soir, et faisons le même exercice en concoctant un lead avec le triangle actualité-intérêt-conséquence.

Exercice 88

Chers frères et sœurs,

La crise dans le pays limitrophe au nôtre, le Tangzibar, s'envenime de jour en jour. Elle ne sera réglée que lorsque les terroristes au pouvoir dans ce pays seront défaits. Par fraternité et solidarité, la Youkitie s'est toujours tenue aux côtés du peuple tangzibarien. Lorsque les terroristes sanguinaires ont pris le pouvoir il y a deux ans au Tangzibar, ils prétendaient être animés d'un esprit humaniste. Ils prétendaient défendre les faibles, la veuve et l'orphelin. Ils prétendaient créer un monde meilleur en ce siècle nouveau. Nous les avons crus. Force est cependant de constater qu'il y a loin de la coupe aux lèvres. Ils ont créé le régime le plus archaïque et le plus répressif que notre région ait jamais connu depuis des siècles. Ils ont clairement montré au monde qu'ils n'étaient animés que par une folie sanguinaire qui a fait plusieurs milliers de victimes depuis deux ans.

Nous ne pouvons plus rester silencieux au nom de simples intérêts bassement économiques. Nous ne pouvons plus fermer les yeux parce que la santé de notre économie est tributaire du pétrole que nous exporte à bon marché le Tangzibar. Il nous faut agir. Au plus vite. J'ai donc décidé de participer activement à la prochaine Assemblée générale de l'ONU qui s'ouvre en septembre. J'offrirai aux délégués un discours franc, honnête, sans fioritures. Un discours comme vous m'avez habitué à en donner depuis que vous avez eu la grande sagesse de me choisir à la tête de notre grand pays, il y a vingt-cinq ans.

Devant les délégués des 190 pays de l'ONU – je ne les compte plus, il y en a un de plus presque tous les mois –, j'annoncerai que la Youkitie est prête à envoyer des troupes pour libérer le peuple de Tangzibar.

Nous le ferons sans condition. Je vous l'ai dit et je le répète, nous devons aider nos frères et sœurs de ce pays si proche de nous culturellement. L'urgence de la situation appelle aussi une solution politique qui passe obligatoirement par l'Organisation des Nations unies, décriée dans certains milieux comme étant un « gros machin ». Nous croyons au contraire que cette vénérable institution à laquelle nous avons toujours cru depuis sa création en 1945, doit prendre une part active dans la mise sur pied d'un nouveau gouvernement qui permettra à notre région de retrouver sa stabilité dans l'ordre. Il faut que l'oppression cesse au plus vite au Tangzibar. C'est la paix sociale de notre pays qui en dépend. Nous ne pouvons plus continuer à accueillir des centaines de milliers de réfugiés tangzibariens. Nous allons donc – je le préciserai dans mon discours à l'ONU – envoyer un premier contingent de 4000 hommes et de quelques-unes de nos plus vaillantes femmes. Je préciserai enfin que la Youkitie fera tout en son possible pour montrer au peuple de Tangzibar, meurtri par tant de violence, que nous ferons tout ce que nous pourrons pour panser ses plaies.

La vocation de notre pays est, et restera, le respect et le dialogue entre les peuples.

7.4.   « VOYAGER ENSEMBLE DANS LA MÊME DIRECTION »

En évitant tout chiffre, écrivez un lead en moins de trois lignes à partir du texte suivant.

Exercice 89

« S'aimer, ce n'est pas aller l'un vers l'autre, c'est voyager ensemble dans la même direction », disait, à quelques mots près, le poète allemand Rainer Maria Rilke.

Une métaphore qui s'applique à merveille au transport en commun : pour accepter l'inévitable promiscuité d'un autobus ou d'une rame de métro à l'heure de pointe, il faut au minimum ne pas détester son prochain. Il est même préférable d'aimer le monde.

Défaisons d'abord un mythe. L'industrie du transport aérien se vante souvent de fournir le moyen de transport le plus sécuritaire. C'est faux. À distance parcourue égale, c'est l'autobus urbain qui provoque le moins de morts.

Selon le National Safety Council américain, pour 15 milliards de kilomètres passagers (un autobus transportant 50 personnes sur 20 kilomètres accumule 1000 kilomètres passagers) parcourus aux États-Unis entre 1996 et 1998, il y a un décès avec les autobus urbains, trois avec l'avion... et 85 en automobile [...] »

(Québec Science, février 2002)

Lisons maintenant une dépêche de la Presse Canadienne (PC) transmise le 11 janvier 2002.

Exercice 90

Ottawa (PC) – Après s'être fait discret mercredi, le ministre des Travaux publics, Alfonso Gagliano, a répondu hier aux allégations d'ingérence et de favoritisme portées contre lui par Jon Grant, un ex-dirigeant d'une société d'État.

En entrevue aux chaînes de télévision RDI et NewsWorld de Radio-Canada, le ministre s'est défendu d'avoir agi indûment comme l'avance M. Grant, qui dirigeait la Société immobilière du Canada (SIC). « Je crois que les faits sont très clairs. Je ne m'ingère pas (dans les sociétés d'État) et j'exerce mon rôle convenablement », a affirmé M. Gagliano sur les ondes de NewsWorld.

L'exercice ? Simple comme bonjour : écrivez un lead plus direct, plus précis.

7.5.   TROIS QUOTIDIENS, UN SEUL LEAD

Abordons maintenant un autre type d'exercices : écrire un lead imagé
direct (comme ceux vus au chapitre 6) en présentant trois quotidiens
et leurs caractéristiques. Il s'agit de trois textes du *Monde* (datés
respectivement des 10, 12 et 13 décembre 1994).

Exercice 91

> **Le premier nous présente le *El Espectador de Bogota***
>
> *L'ombre de Don Guillermo plane sur El Espectador, immense, bien-*
> *veillante. Telle une présence impalpable, mais évidente. « J'ai le sen-*
> *timent qu'il unit les gens et les inspire, dit une très jeune journaliste.*
> *C'est peut-être ça la mort, une empreinte et une âme... »*
>
> *Cela fait huit ans que Don Guillermo n'est plus de ce monde. Huit*
> *ans qu'il est parti au volant de sa voiture, une jolie soirée de décembre,*
> *neuf jours avant Noël [...] Deux motos le guettaient au virage. Des*
> *coups de feu ont claqué. Don Guillermo s'est effondré. La mafia de*
> *la drogue avait eu sa peau.*
>
> *José Salgar, qui dirigeait alors la rédaction, se souvient parfaite-*
> *ment de ce soir-là. Un coup de téléphone l'avait prévenu du drame,*
> *il s'était précipité à l'hôpital, retrouvant la famille et d'autres jour-*
> *nalistes, et puis il avait assuré : « On va faire le meilleur des jour-*
> *naux ! » José Salgar aime réunir ses troupes derrière un étendard.*
> *L'éditorial prévu pour le lendemain avait été retiré en hâte. À la place,*
> *on avait laissé un grand blanc avec une seule phrase, le cri unanime*
> *de la famille de Don Guillermo et de sa rédaction : « On continue ! »*
> *La mort du directeur-propriétaire d'El Espectador ne devait pas arrêter*
> *le combat [...]*
>
> *Chevelure brune lissée en arrière, costume trois-pièces, lunettes*
> *épaisses, José Salgar, soixante-treize ans, a horreur des demi-mesures.*
> *« Ce continent, dit-il, exclut la modération. »*
>
> *Comme rester sobre quand [...] on a guerroyé de la plume sur de*
> *multiples fronts, conspué la violence des guérilleros, les milices*
> *d'autodéfense, les groupements paramilitaires, les trafiquants d'éme-*
> *raudes et puis, plus redoutable encore, la mafia des narcos ? Com-*
> *ment être modeste quand on ne conçoit pas l'écriture sans panache*
> *et qu'on a eu le bonheur de donner à un débutant appelé Gabriel*
> *Garcia Marquez sa première chance dans le journalisme.*

[...] *S'il était là, Don Guillermo ragerait. Il ragerait de voir ces hommes en treillis, casqués, pistolets mitrailleurs au poing, chargés de protéger son journal. Même si la Colombie a la culture des armes, même si polices municipale et privées se trouvent en faction autour de milliers d'immeubles, banalisant fusils et uniformes; et même si la moindre élection ou manifestation mobilise des hordes de policiers.*

Il ragerait contre ces gardes du corps qui ruinent l'intimité de certains membres de sa famille, inquiètent leurs enfants et les privent de toute insouciance. De ces gilets pare-balles qu'il leur a fallu longtemps revêtir, de ces cours de tir qu'ils ont dû prendre avec horreur; et de ces recommandations essentielles, cent fois prodiguées aux collaborateurs les plus exposés du journal: « Variez vos itinéraires, bousculez vos horaires, ne laissez pas votre voiture sans surveillance... »

Il ragerait de savoir que, durant ces huit dernières années, une quinzaine d'employés d'El Espectador ont été assassinés, victimes de cette « guerre totale » déclenchée par les narcos à l'encontre des médias qui ne jouaient pas leur jeu; d'apprendre que, il y a cinq ans, l'explosion d'une bombe placée dans une voiture a gravement endommagé le journal et a hypothéqué pour longtemps ses projets d'avenir, même si, le lendemain, El Espectador réussit ce miracle de paraître sur quatre pages avec ce titre, toujours le même: « On continue! »

Le second nous parle de l'*Asahi Shimbun* de Tokyo

L'idéal, ici, serait de ne pas dormir. Du tout. De pouvoir se passer de cette parenthèse absurde et contrariante. Trop courte pour signifier repos, trop angoissante pour s'appeler répit. L'idéal serait de ne jamais décrocher...

« Le monde ne décroche pas! », remarque Yoshio Murakami, un rédacteur en chef, sur un ton d'évidence. Minuit à Tokyo, c'est 16 heures à Paris, 15 heures à Londres et 10 heures à New York, où la journée commence. C'est Wall Street enfin en ligne, l'ONU en réunion, la City en ébullition. C'est la planète qui vibre. Quel journaliste de l'Asahi dormirait à cette heure?

Plus de huit millions de foyers, répartis sur l'ensemble du Japon s'attendent à trouver dès l'aube leur shimbun (journal) dans la boîte aux lettres. 8,2 millions de foyers – on vous martèle ce chiffre, « c'est lui qui explique tout! » – qui attendent, insatiables, boulimiques, qu'il soit là à la fois plus frais que son édition de l'après-midi à laquelle plus de la moitié sont aussi abonnés et plus complet que le dernier bulletin télévisé.

L'actualité ne fait pas de pause. Pourquoi le journal en ferait-il? Ici, on pratique un journalisme à jet continu. Comme une agence. Comme une radio [...]

L'idéal, donc, serait d'habiter le journal. L'Asahi Shimbun, bonne fille, a d'ailleurs tout prévu. Une cantine ouverte jusqu'à minuit avec vue sur le port de Tokyo, et un bar – bière, whisky, saké – accessible toute la nuit [...]

Car l'Asahi exige une totale disponibilité de ses employés. Neuf mille au total, dont 3000 à la rédaction. N'ont-ils pas en échange la garantie d'un emploi à vie? On ne licencie pas, à moins d'une faute très grave [...]

Les fameux scoops de l'Asahi se limitent souvent à annoncer quelques heures avant la concurrence ce qui devait de toute façon sortir et les grandes affaires sont généralement lancées par des journalistes hors du sérail [...]

Les petits soldats de l'Asahi se reconnaissent quelques privilèges: des limousines avec téléphone, quatre hélicoptères et deux jets prêts à décoller pour un reportage, un salaire confortable [...] l'avantage de pouvoir prétendre à trois semaines de vacances sans provoquer de syncopes parmi leurs supérieurs, et un certain prestige aussi, même si la tradition interdit de signer la plupart des articles. Car l'Asahi veille à ne pas cultiver les ego. « Rappelez-vous que vous n'êtes rien! répète-t-on aux jeunes reporters. Un journaliste qui perd son regard de simple citoyen ne peut plus exercer son métier. »

L'idéal? « La plus grande humilité? »

Le dernier nous éclaire sur le *Quotidien du peuple* de Pékin

« [...] Le lieu d'abord. Un ancien campus universitaire de 27 hectares, entièrement clos. Une sorte de grand jardin hérissé de bâtiments grisâtres: ceux de la rédaction et de l'imprimerie, le centre de transmission par satellite (relié aux 28 centres d'impression en province), le service de micro filmage des archives (depuis 1947), le garage des 40 voitures de fonction. Plus loin, les immeubles de logements pour 1225 privilégiés parmi l'ensemble des 1940 salariés. Et puis l'immense cantine à deux étages, deux menus et 22 cuisiniers: l'hôpital (20 lits, 22 médecins); le jardin d'enfants (44 employés pour 230 enfants uniques); trois salles de danse [...], un gymnase, un cinéma.

Une ville, donc. Avec de longues allées sillonnées par des vélos. Une ville presque silencieuse où personne ne court, ne crie, ne gesticule. Pas seulement parce que la première neige contraint chacun à une allure prudente. Mais parce que le Quotidien du peuple *est une sorte de cocon à l'abri du temps. On peut y naître, s'y marier, y mourir. On peut y vivre doucettement et en famille, sans excès de travail (c'est un euphémisme) et sans inquiétude pour l'avenir. Recruté par le parti, on y entre pour la vie à condition d'avoir l'échine souple et d'admettre une fois pour toutes que curiosité et contestation sont de dangereux défauts...*

[...] le traitement des faits divers revient au service « politique et loi ». Mais bien malin qui en détecterait les clés ! Il est des événements sur lesquels le Quotidien du peuple *ne publie pas une ligne, comme l'histoire de cet officier qui, en septembre, a subitement ouvert le feu sur la foule et tué, à Pékin, une dizaine de personnes. « Cela n'est pas significatif », nous a-t-on dit.*

Il est d'autres événements que l'on aborde de façon curieusement positive. Une catastrophe naturelle ? « Ah ! oui ! Il faut raconter l'orga-nisation des secours et la façon dont la Chine réussit à surmonter les pires difficultés. » La drogue ? La prostitution ?

« Il est important de montrer comment on anéantit ces phéno-mènes. »

[...] Que pensent-ils vraiment, ceux-là, venus si docilement prendre place dans l'un des fauteuils à larges accoudoirs et petits napperons blancs de la salle de réception et répondre et devant témoin ! – à vos questions ? [...]

N'oubliez pas, l'exercice consiste à écrire un lead et rien d'autre.

7.6. LA LEÇON DU CUISINIER DING

« Dégraisser » un texte, lui trouver une nouvelle « tête » (le lead !) est une discipline exigeante qui demande beaucoup de dextérité. A-t-on vraiment enlevé ce qu'il fallait ? La nouvelle « pièce montée » garde-t-elle la même saveur que celle qui a été mise en pièces ?

Voici ce que nous dit un spécialiste du dépeçage :

Le cuisinier Ding dépeçait un bœuf pour le prince Wenhui. On entendait des « hua » lorsqu'il empoignait de la main l'animal, qu'il retenait sa masse de l'épaule et que, les jambes arc-boutées, du genou l'immobilisait un instant. On entendait des « zhuo » quand son couteau frappait en cadence, comme s'il eût accom-pagné l'antique danse du bosquet des mûriers ou le vieux rythme de la tête de lynx.

— Oh! Que c'est admirable! s'exclama le prince, je n'aurais jamais imaginé pareille maîtrise! Le cuisinier posa couteau et répondit:

— Ce que cherche votre serviteur, c'est le fonctionnement des choses, et non pas simplement la technique. Lorsque j'ai commencé à pratiquer mon métier, je voyais tout le bœuf devant moi. Trois ans plus tard, je n'en voyais plus que certaines parties. Aujourd'hui, je le trouve par l'esprit sans plus le voir de mes yeux. Mes sens n'interviennent plus, mon esprit agit comme il l'entend et suit de lui-même les linéaments naturels du bœuf. Lorsque ma lame tranche et disjoint, elle suit les failles et les fentes qui s'offrent à elle. Elle ne touche ni aux veines, ni aux tendons, ni à l'enveloppe des os, ni bien sûr à l'os lui-même. Les bons cuisiniers doivent changer de couteau chaque année parce qu'ils taillent dans la chair. Le commun des cuisiniers en changent tous les mois parce qu'ils charcutent au hasard. Mais avec ce couteau, qui lui sert depuis dix-neuf ans, votre serviteur a dépecé plusieurs milliers de bœufs et pourtant, la lame est encore tranchante comme au premier jour. Car il y a des interstices entre les parties de l'animal, et le fil de ma lame, n'ayant pas d'épaisseur, y trouve tout l'espace qu'il lui faut pour évoluer. C'est ainsi qu'après dix-neuf ans, elle est encore comme fraîchement aiguisée. Quand je rencontre une articulation, je repère le point difficile, je le fixe du regard et, agissant avec une prudence extrême, lentement je découpe. Sous l'action délicate de la lame, les parties se séparent avec un «huo» léger comme celui d'une poignée de terre que l'on pose, amusé et satisfait, et après avoir nettoyé la lame, je la remets au fourreau.

Le prince Winhui s'exclama:

— Admirable! En écoutant le cuisinier Ding, j'ai compris ce qu'il fallait faire pour préserver l'énergie!

(*Le Zhuangzi*, œuvre de «maître Zhuang», seconde moitié du IVe siècle avant J.-C., voir <http://www.chineseliterature.com>)

Que dire de cette «leçon chinoise»? Lorsque vous taillez un texte, le découpez en tranches pour l'alléger, le réduisez de moitié ou du quart, lorsque vous allez lui chercher un lead qui sied à sa nouvelle silhouette, pensez au cuisinier Ding qui ne charcute jamais rien au hasard.

«De manière générale, un bon lead revient à mettre la table. On met la table; on fournit au lecteur de quoi se nourrir; c'est lui qui use des couverts à sa guise, mais c'est le journaliste qui débarrasse... qui conclut!» croit Serge Truffaut, éditorialiste au *Devoir*.

Dans le dernier exercice de ce manuel – un exercice récapitulatif –, il ne s'agit pas de charcuter des mots ou des phrases mais bien d'écrire uniquement un lead (en une seule phrase !). Vous ne pourrez bien sûr pas tout dire dans le lead, il vous faudra choisir les détails les plus importants dans la liste d'informations suivante :

Exercice 92

> *Odette Larue a été heurtée par une voiture sur la rue Principale*
> – *Le conducteur a brûlé un feu rouge.*
> – *Larue est une résidante de Tombouctou âgée de 85 ans.*
> – *Elle traversait la rue avec une centaine d'autres piétons.*
> *✗ Elle sortait du stade de Tombouctou où avait lieu un combat de coqs.*
> *✗ Elle avait gagné tous ses paris ce soir-là.*
> – *Elle a été blessée au dos et aux deux jambes.*
> – *Elle a été conduite à l'hôpital où son état est jugé grave.*
> – *La collision est survenue dimanche soir, le 29 février.*
> – *L'accident est survenu au coin des rues du Baobab et du Palmier.*
> – *Le conducteur Orsélien Lecarosse est un résidant de Wontaï âgé de 58 ans.*
> – *Lecarosse a été libéré sous caution après avoir payé 25 000 sous.*
> *✗ Il est accusé d'avoir volé une trentaine de chèvres à son riche voisin.*
> *✗ La police a fait passer un test d'alcoolémie à Lecarosse.*
> *✗ Il nie avoir bu au moins 25 bières.*
> *✗ Lecarosse conduisait une Tobogan rouge 1950.*
> *✗ Il a foncé à tombeau ouvert sur Larue.*

« Le lead, je l'aime précis, précis, précis. Pour moi, le lead, grammaticalement parlant, c'est une proposition principale pouvant être accompagnée d'une ou deux subordonnées si le sujet l'exige », note encore Serge Tuffaut.

7.7. L'ANTI-HASARD PAR EXCELLENCE

Le lead est, pour une grande part, l'art de sélectionner l'information pour mieux la distiller dans le corps du texte. « Et ne vous chargez point d'un détail inutile… », nous conseillerait encore Boileau.

Voilà pourquoi le lead doit, à tout prix, être l'anti-hasard par excellence. Le lead est la plus haute exigence de l'écriture. Une fois que vous l'aurez écrit, pourquoi ne pas le lire et le relire à haute voix ? Toutes ses imperfections apparaîtront alors au grand jour. Et si vous avez le temps, pourquoi ne pas l'enregistrer pour le réécouter avec un salutaire recul ?

Et n'oubliez pas : écrire, c'est se battre contre soi-même, un peu comme « les grands scientifiques, les grands découvreurs (qui) n'étaient pris dans aucune compétition. Ils étaient en combat avec eux-mêmes. Les peintres le savent bien. Imaginez Michel-Ange en haut de son échafaudage à la Sixtine ; il ne voulait pas faire mieux qu'un autre. De temps en temps, il se battait contre des petits camarades, il se battait contre le pape, mais il se battait surtout contre lui-même, il fallait qu'il fasse mieux que lui. Tous les peintres le savent bien, ils se battent contre leurs tableaux. » (Roland Jacquard, *Construire une civilisation terrienne*, Montréal, Fides, série « les Grandes Conférences », 1993)

Derniers petits conseils dans la confection d'un lead :

- évitez les abstractions, optez toujours pour les faits concrets ;
- évitez les clichés ;
- évitez d'écrire à la première personne, cela écrase souvent le récit (le « moi est haïssable », nous avertissait Blaise Pascal) ;
- le lead, lorsqu'il est direct, doit pouvoir se suffire à lui-même, c'est-à-dire pouvoir devenir une brève s'il le faut. Ne négligez pas pour autant le sublead qui doit renfermer des informations venant appuyer directement le lead ;
- n'annoncez jamais au lecteur que vous allez lui parler « de quelque chose d'intéressant et d'important » ; la chose intéressante et importante doit précisément former le cœur du lead.

Il arrive qu'appliquer ce dernier petit conseil soit difficile à suivre. Prenons l'exemple suivant :

Un prince mongorien parti en Yikoutie participer à une course de chameaux a eu une longue série d'ennuis :

– le lendemain de son arrivée, il a dû quitter sa chambre d'hôtel en pleine nuit à la suite d'une alerte à la bombe ;

– sa limousine le conduisant à l'entraînement a été arrêtée pour excès de vitesse ;

– le soir, invité à un banquet, il eut un empoisonnement intestinal qui le cloua au lit ;

- en pleine nuit, il reçut un coup de fil d'une de ses douze femmes lui indiquant que l'un de ses trente-deux garçons s'était fracturé l'épaule ;
- au petit déjeuner, son serviteur lui renversa le café sur sa robe de chambre ;
- le grand jour arriva enfin : épuisé mais toujours enthousiaste, le prince était prêt pour la course malgré une chaleur de 50 degrés centigrades.

Il n'y a pas dans la liste d'ennuis du pauvre prince mongorien un élément clé qui puisse ressortir dans le lead. Si encore il était soudainement devenu allergique au poil de chameau ! On ne peut même pas construire un lead 1-2-3-4 (comme au chapitre 3). Les déboires du prince sont sans fin... Alors ?

Écrivons simplement ceci en espérant que ce soit assez accrocheur pour intéresser le lecteur :

> *Un prince mongorien parti participer en Yikoutie à une course de chameaux a vu son séjour tourner au cauchemar.*

Nous avons insisté dans ce manuel sur l'art d'écrire des leads directs en une seule phrase. Ce n'est pas là une règle à suivre à tout prix. Et, si cela devait l'être, n'y a-t-il pas dans toute règle d'innombrables exceptions ? Fabius Quintilien, à qui nous devons les six questions, nous le rappelait il y a vingt siècles :

> [...] Je ne veux point que l'on s'asservisse à des règles trop uniformes et trop générales : il n'en est peu qu'on ne puisse, qu'on ne doive quelquefois violer
>
> [...] c'est ainsi que les règles bien appliquées peuvent être utiles, et qu'on apprend également à s'en servir et à ne pas trop s'y astreindre.

Le grand rhéteur espagnol (né en l'an 35 ou 40 de notre ère) est de bon conseil.

Arrivé très jeune à Rome pour se former à l'art oratoire dans les écoles de déclamation, Quintilien nous dirait peut-être ceci aujourd'hui : ce n'est qu'avec une parfaite maîtrise du lead télégraphique, court et en une seule phrase, que l'on peut gambader dans le merveilleux monde des leads différés et imagés.

CONCLUSION

Georges Duroy dormit mal, tant l'excitait le désir de voir imprimé son article. Dès que le jour parut, il fut debout et il rôdait dans la rue bien avant l'heure où les porteurs de journaux vont, en courant, de kiosque en kiosque.

Alors il gagna la gare Saint-Lazare, sachant bien que la *Vie française* y arriverait avant de parvenir dans son quartier. Comme il était encore trop tôt, il erra sur le trottoir.

Il vit arriver la marchande qui ouvrit sa boutique de verre, puis il aperçut un homme portant sur sa tête un tas de grands papiers pliés. Il se précipita : c'étaient le *Figaro*, le *Gil-Blas*, le *Gaulois*, l'*Événement*, et deux ou trois autres feuilles du matin ; mais la *Vie Française* n'y était pas.

Une peur le saisit : « Si on avait remis au lendemain les *Souvenirs d'un chasseur d'Afrique*, ou si, par hasard, la chose n'avait pas plu, au dernier moment, au père Walter ? »

En redescendant vers le kiosque, il s'aperçut qu'on vendait le journal sans qu'il l'eût vu porter. Il se précipita, le déplia après avoir jeté les trois sous, et parcourut les titres de la première page. – Rien.– Son cœur se mit à battre ; il ouvrit la feuille, et il eut une forte émotion en lisant, au bas d'une colonne, en grosses lettres : « Georges Duroy ». Ça y était ! Quelle joie !

Il se mit à marcher, sans penser, le journal à la main, le chapeau sur le côté, avec une envie d'arrêter les passants pour leur dire : « Achetez ça – achetez ça ! Il y a un article de moi. » Il aurait voulu pouvoir crier de tous ses poumons, comme font certains hommes, le soir sur les boulevards : « Lisez la *Vie Française*, lisez l'article de Georges Duroy : Les Souvenirs d'un chasseur d'Afrique ! » Et, tout à coup, il éprouva le désir de lire lui-même cet article, de le lire dans un endroit public, dans un café, bien en vue. Et il chercha un établissement qui fût déjà fréquenté. Il lui fallut marcher longtemps. Il s'assit enfin devant une espèce de marchand de vin où plusieurs consommateurs étaient déjà installés et il demanda : « Un rhum », comme il aurait demandé : « Une absinthe », sans songer à l'heure. Puis il appela : « Garçon, donnez-moi la *Vie Française* ».

Un homme à tablier blanc accourut :

— Nous ne l'avons pas, monsieur, nous ne recevons que le *Rappel*, le *Siècle*, la *Lanterne* et le *Petit Parisien*.

Duroy déclara, d'un ton furieux et indigné :

— En voilà une boîte ! Alors, allez me l'acheter. Le garçon y courut, la rapporta. Duroy se mit à lire son article ; et plusieurs fois il dit, tout haut : « Très bien, très bien ! » pour attirer l'attention des voisins et leur inspirer le désir de savoir ce qu'il y avait dans cette feuille. Puis il la laissa sur la table en s'en allant. Le patron s'en aperçut, le rappela :

— Monsieur, Monsieur, vous oubliez votre journal !

Et Duroy répondit :

— Je vous le laisse, je l'ai lu. Il y a d'ailleurs, aujourd'hui, dedans, une chose très intéressante.

Il ne désigna pas la chose, mais il vit, en s'en allant, un des voisins prendre la *Vie Française* sur la table où il l'avait laissée. »

Voilà, c'est fait. Georges Duroy, le *Bel-Ami* de Guy de Maupassant qui, au chapitre 3, évoquait ses problèmes d'écriture. sait, enfin, concocter des leads. Il a compris que le lead est au départ et à l'arrivée de tout récit. Il permet d'écrire brièvement, de manière simple et claire. Il a compris que sans un lead bien ficelé son texte n'est que silence. Mais le « cher Georges » a surtout compris ceci – et c'est peut-être ce qui le hantait le plus : sans un lead solide, l'écrivassier en lui allait ressortir instinctivement.

RÉPÉTER SANS TROP LASSER

Le lead est l'étalon de l'écriture journalistique, le cheval de trait creusant les sillons de tout texte. Un lead qui claudique donne des phrases boiteuses.

Le répéter sans trop lasser était le principal défi de ce manuel, qui n'aurait pu être écrit sans des années de pratique journalistique, sans des années d'enseignement, sans les échanges avec les praticiens du métier et les étudiants déterminés, coûte que coûte, à devenir journalistes malgré la constante mauvaise presse du métier.

Françoise Giroud avait édicté un certain nombre de règles à ses reporters. Voici ce que la journaliste-écrivaine française leur conseillait :

No 1 : inutile d'avoir du talent à la cinquième ligne si le lecteur vous a lâché à la quatrième. No 2 : si on peut couper dix lignes dans un article sans enlever une idée, c'est qu'elles étaient en trop. Le moindre ne signifie pas le plus mou, le plus plat mais celui qui a... comment dire... la taille la plus fine. Ne pas oublier que l'écriture est comme la danse, il ne faut jamais arrêter les exercices à la barre. Après une interruption un peu prolongée, la reprise est dure.

(Le Nouvel Observateur, édition du 25-31 octobre 2001)

Les exercices à la barre ont été nombreux, variés et peut-être répétitifs, certes. Mais ils n'avaient qu'un but : faire transpirer, suer abondamment. Écrire des leads, c'est surtout ça. C'est travailler sous contraintes. C'est avoir une écriture hâtive pour raconter des histoires, sans verser dans une écriture d'introspection. C'est harponner vite ce qui survient très vite autour de nous et le restituer tout aussi rapidement.

Nous l'avons déjà dit, la technique journalistique est un art qui s'adresse à tous. Yves de la Haye, dans *Journalisme mode d'emploi*, nous le répète :

> La langue du journal et plus particulièrement la langue du journal quotidien pourrait passer pour la moins réglée des écritures : rapidement rédigées au gré des événements qui surviennent et surprennent, les nouvelles sont rapidement consommées puis elles perdent leur fraîcheur pour devenir archives, témoignages, documents pour l'histoire. [...] Or l'écriture de presse s'avère être d'une remarquable stabilité. L'appareil d'information dans son ensemble de média d'organes et d'émissions paraît se conformer à des formes d'expression routinisées adaptées à des publics donnés, plutôt que de tenter d'élucider des questions posées par le mouvement de la réalité sociale.
>
> (Paris, La Pensée sauvage, 1985)

Cette technique journalistique doit être partagée à l'heure de la communication tous azimuts, du tout-information et du courriel quotidien. Elle doit être partagée pour mieux communiquer, sans tourner en rond.

DÉSESPÉRÉMENT BESOIN D'HISTOIRES

Ce livre s'adresse à tous les raconteurs d'histoire, par obligation, par plaisir ou mieux encore les deux à la fois.

Depuis les premiers cris de nos lointains ancêtres, nous raffolons d'histoires. À l'heure d'une mondialisation qui a tendance à uniformiser à l'aveuglette, toutes les cultures du monde partagent la même foi dans les histoires. Nous sommes tous prédisposés à en entendre.

[...] Nous avons désespérément besoin d'histoires. Prédécesseurs non chimiques du Prozac, trêves au milieu des souffrances et des douleurs de la journée, elles nous donnent une chance de renaître, au moins dans notre imagination, dans la peau de quelqu'un d'autre. »
(*Washington Post*, tiré du *Courrier International* du 1er au 7 octobre 1998)

Voilà pourquoi le lead doit être un art de la densité, pour pouvoir raconter des histoires bien ficelées, bien structurées ou saucissonnées, comme nous l'avons vu avec les dépêches d'agence, de manière à être découpées en rondelles sans perdre de leur saveur, de leur piquant.

Un « lead clef en main » ne se trouve pas facilement sous le paillasson. Le meilleur lead doit coller à la réalité et au contexte du moment. Il ne montre le bout du nez qu'après avoir cheminé (parfois longtemps) dans la jungle de données et débroussaillé toutes les informations. Le meilleur lead est celui qui donne du sujet la vue la plus large, la plus claire. C'est celui qui montre l'horizon.

Savoir écrire un lead ne veut pas dire savoir écrire. Mais c'est un bon départ. Dans le difficile jeu de l'écriture, le lead est le meilleur des atouts. C'est pourquoi nous avons consacré un petit livre à ce premier paragraphe magique d'un texte. Ce manuel a surtout privilégié le lead direct (*hard lead*) par rapport au lead différé (*delayed lead*). Pourquoi ? Parce que le lead direct est le début à tout.

Oui, nous avons tapé sur le même clou. Pour l'économie syntaxique et l'esprit de synthèse, nous avons insisté sur le lead en une seule phrase, ne dépassant pas les quatre lignes. C'est là un défi constant. Même pour les journalistes à qui nous avons demandé, en annexe, de nous offrir leurs meilleurs leads en une seule phrase. Mais écrire un *hard lead* ne doit pas être un absolu. Vous trouverez aussi en annexe des leads de plus d'une phrase, des leads différés.

Ce petit manuel n'est surtout pas une thèse sur le lead. « Toute thèse s'offre au rire des dieux », disait le théologien et penseur danois Sören Kierkegaard (c'était la dernière des nombreuses citations de ce livre !).

Nous avons certes enfoncé le même clou mais en cherchant à renouveler sa tête d'un chapitre à l'autre. Oui, le lead doit être introduction, développement, conclusion. Il doit être en même temps le « il était une fois », le « ils vécurent heureux » et le « et eurent beaucoup d'enfants »...

BIBLIOGRAPHIE

S'il n'y a pas, à notre connaissance, de livre totalement consacré au lead, les ouvrages suivants vous seront utiles pour mieux maîtriser votre écriture:

AGENCE FRANCE-PRESSE, *Le manuel de l'agencier*, Paris, AFP, 1997.

ARCAND, Richard et Nicole BOURBEAU, *La communication efficace*, Montréal, Centre culturel et éducatif, 1995.

BACHMANN, Philippe, *Communiquer avec la presse écrite et audiovisuelle*, Paris, CFPJ, 1994.

BARNABÉ, Réal, *Guide de rédaction: les nouvelles radio et l'écriture radiophonique*, Montréal, Éditions Saint-Martin, 1990.

CAPPON, René J., *The Word, an Associated Press Guide to Good News Writing*, New York, Mervin Block, 1991.

CONQUET, Antoine, *Comment écrire pour être lu et compris?*, Paris, Le Centurion, 1986.

DARROY, Christian, *Pour mieux communiquer avec la presse*, Paris, CFPJ, 1993.

DELACÔTE, Yann, *Écrire efficace*, Paris, Éditions de Vecchi, 1988.

DE LA HAYE, Yves, *Journalisme mode d'emploi*, Paris, La Pensée sauvage, 1985.

FERRÉOL, Gilles et Noël FLAGEUL, *Méthodes et techniques de l'expression écrite et orale*, Paris, Armand Collin, 1996.

FLORIO, René, *L'écriture de presse*, Lille, Trimedia, 1984.

FRÉDERICK, Antoine, Jean-François DUMONT, Benoît GREVISSE, Philippe MARION et Gabriel RINGLET, *Écrire au quotidien. Pratiques du journalisme.* Bruxelles, Evo Communication, 1995.

GAILLARD, Philippe, *Technique du journalisme*, Paris, Presses universitaires de France, coll. «Que sais-je?», 1971.

GERGELY, Thomas, *Information et persuasion. Écrire*, Bruxelles, De Boeck Université, 1992.

HERVOUET, Loïc, *Écrire pour son lecteur*, Lille, École supérieure de journalisme, coll. «J comme journalisme», 1979.

HUSSON, Didier et Olivier ROBERT, *Profession journaliste*, Paris, Éditions Eyrolles, 1990.

KADDOUR, Hédi, *Pour les adjectifs, vous viendrez me voir*, Paris, CFPJ, 1996.

KESSLER, Lauren et Duncan MCDONALD, *When Words Collide: A Media Writer's Guide to Grammar and Style*, 4ᵉ éd., Belmont (CA), Wadsworth, 1996.

LARUE-LANGLOIS, Jacques, *Manuel de journalisme radio-télé*, Montréal, Éditions Saint-Martin, 1989.

MARTIN-LAGARDETTE, Jean-Luc., *Informer, convaincre, les secrets de l'écriture journalistique*, Paris, Syros, 1987.

MENCHER, Melvin, *News Reporting and Writing*, 6ᵉ éd., Dubuque (IO), Brown and Benchmark, 1994.

NIQUET, G., *Structurer sa pensée, structurer sa phrase*, Paris, Hachette-Classique, 1987.

OURY, Pierre, *Rédiger pour être lu, les secrets de la communication efficace*, Bruxelles, De Boeck, 1990.

PITTS, Berveley, A. TENDAYI, Mark POPOVICH et Debra REED, *The Process of Media Writing*, Boston, Allyn and Bacon, 1997.

RICHAUDEAU, François, *Le langage efficace*, Paris, Denoël, 1973.

RIVERS, William Lawrence, *The Mass-media: Reporting, Writing, Editing*, New York, Harper, 1995

RICH, Carole, *Writing and Reporting News: A Coaching Method*, 2ᵉ éd., Belmont (CA), Wadsworth 1997.

ROBERT, Michel et Elisabeth LESBATS, *L'écriture sans peur et sans reproche*, Paris, ESF Éditeur, 1999.

ROSS, Line, *L'écriture de presse: l'art d'informer*, Boucherville, Gaëtan Morin éditeur, 1990.

SAINDERICHIN, Svan, *Écrire pour être lu*, Paris, Entreprise moderne d'édition, 1975.

SIMARD, Jean-Paul, *Guide du savoir-écrire*, Montréal, Éditions de l'Homme et Éditions Ville-Marie, 1984.

SOCIÉTÉ RADIO-CANADA, *Normes et pratiques journalistiques*, Montréal, SRC, 1979.

TIMBAL-DUCLAUX, Louis, *L'expression écrite. Écrire pour communiquer*, Paris, ESF Éditeur, 1994.

VOIROL, Michel, *Guide de la rédaction*, Paris, CFPJ, 1992.

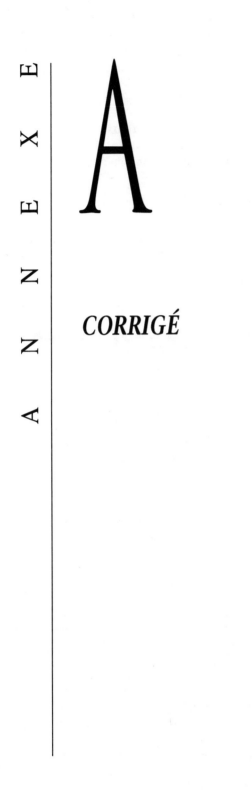

ANNEXE

A

CORRIGÉ

CHAPITRE 1

1

Pour avoir jeté un caméléon au visage de son époux, une Mongorienne a été reconnue coupable mardi matin d'avoir infligé au saurien des souffrances inutiles et a été condamnée à une peine maximale d'une semaine de prison, assortie d'une amende de mille sous.

2

« Un très grand nombre de gens cherchent actuellement du travail. Et ce nombre n'a pas tendance à diminuer, bien au contraire. Voilà ce qu'indiquent les statistiques globales sur le chômage. Mais les entreprises ont toujours autant de mal à trouver le personnel dont elles ont besoin. Les journaux sont pleins de petites annonces d'offres d'emploi. Dans les bureaux officiels, les listes de postes à pourvoir ne cessent de s'allonger. Pour attirer les candidats à l'embauche, des entreprises continuent à proposer des salaires supérieurs à la moyenne. »

(Sven Sainderichin, Écrire pour être lu)

3

Quoi – Une amende de 1000 sous pour conduite en état d'ivresse sur une grande artère de la capitale a été donnée à un Mongorien de 107 ans qui criait à tue-tête, en pleine heure de pointe.

4

Quand – En pleine heure de pointe, un Mongorien de 107 ans a crié à tue-tête contre une amende de 1000 sous pour conduite en état d'ivresse sur une grande artère de la capitale.

5

Où – Sur une grande artère de la capitale, un Mongorien de 107 ans a crié à tue-tête contre une amende de 1000 sous pour conduite en état d'ivresse en pleine heure de pointe.

6

Pourquoi – Pour conduite en état d'ivresse sur une grande artère de la capitale, en pleine heure de pointe, un Mongorien de 107 ans, criant à tue-tête, a reçu une amende de 1000 sous.

7

Comment – Criant à tue-tête, un Mongorien de 107 ans a protesté contre une amende de 1000 sous pour conduite en état d'ivresse sur une grande artère de la capitale, en pleine heure de pointe.

CHAPITRE 2

8 à 14

Le malade et son pot (Exercice 8)

Amour froid (Exercice 9)

Lève toi et marche ! (Exercice 10)

Le grand gourou (Exercice 11)

Amants déchaînés (Exercice 12)

Pour une poignée de dollars (Exercice 13)

À bras raccourcis (Exercice 14)

15

Wellington (Reuters) – Manger des kiwis pourrait s'avérer le seul moyen de sauver ces oiseaux qui symbolisent la Nouvelle-Zélande, selon un conservateur australien.

Les espèces menacées de disparition, comme celle-ci, peuvent subsister uniquement grâce à l'élevage, a déclaré au *New Zealand Herald* John Wamsley, directeur du groupe Environmental Sanctuaries.

« Si chaque famille pouvait manger un kiwi lors de son déjeuner dominical, alors le problème serait résolu », a-t-il suggéré au quotidien. Mais la solution préconisée par Wamsley n'a pas la faveur du département néo-zélandais de défense de l'environnement.

« Notre objectif est de conserver les kiwis à l'état sauvage, pas de les mettre en conserve », a assuré à Reuters Keith Johnston, directeur du Département.

Environ 95 % des kiwis sont tués par des hermines et des chats avant d'avoir atteint six mois et au rythme actuel, on n'en comptera plus que 50 000 en 2006.

De la taille d'un poulet, ces volatiles nocturnes ornent les pièces d'un dollar néo-zélandais et depuis la Première Guerre mondiale, ils ont donné leur surnom aux Néo-Zélandais.

16

Colombo (AFP) – Une vipère à deux têtes découverte au début du mois dans le sud du Sri Lanka est morte dans un zoo de Colombo, anéantissant l'espoir des autorités d'en faire une attraction touristique.

L'animal, qui devait avoir environ trois mois, est mort après avoir refusé pendant plusieurs jours toute nourriture, a précisé dimanche un responsable du zoo Dehiwala à Colombo.

Ce reptile unique mesurait 26 cm de long et avait deux têtes, et donc quatre yeux, deux cerveaux, deux langues et deux nez. Il avait été capturé par des étudiants de Tissamaharama et remis au commissariat de la ville, où il attirait en quelques jours des milliers de curieux. Pour éviter le stress, le serpent avait alors été confié au plus grand zoo de la capitale.

Initialement pris pour un python, le serpent avait finalement été identifié comme une « vipère de Russell », localement connue sous l'appellation de Tic Polonga, particulièrement venimeuse et principale cause des morsures mortelles de serpents au Sri Lanka.

Cependant l'animal à deux têtes ne semble pas avoir développé des glandes de venin, avait indiqué le vice-directeur sri-lankais à la faune sauvage, Nandana Atapattu. « Sinon je serais mort », avait-il dit en expliquant qu'il s'était fait mordre maintes fois par le jeune reptile, le prenant d'abord pour un python non venimeux.

17

Newport News (AFP) – Un voyeur qui, collé à la vitre de l'appartement d'une femme, y avait laissé l'empreinte de ses lèvres, a été arrêté grâce à cet inhabituel indice, a-t-on appris samedi de source policière à Newport News en Virginie.

Robert Smith a été arrêté pour voyeurisme et risque jusqu'à un an de prison. Les empreintes de ses lèvres ont été relevées sur la fenêtre d'une plaignante et ont pu conduire à son arrestation.

« C'est un cas très rare. Nous n'en avons vu qu'un ou d'eux, a indiqué un porte-parole du FBI, Steven Berry.

« Les empreintes de lèvres n'ont pas les sinuosités et les particularités des empreintes digitales. Mais elles portent de multiples rides et crevasses qui en font comme une carte », a commenté Paul Ferrara, directeur du département des experts légistes de Virginie.

18

Paris (AFP) – Une des dernières chemises, peut-être même la dernière, portée par l'Empereur Napoléon à Sainte-Hélène, sera mise aux enchères, dimanche à Fontainebleau.

Cette relique fait partie de quelque 500 lots « Empire » – autographes, livres, médailles, dessins, tableaux, souvenirs historiques, armes, meubles et objets d'art – que dispersera le commissaire-priseur Jean-Pierre Osennat, à l'Hôtel des ventes de Fontainebleau, en face du château, à partir de 14 h.

La pièce-maîtresse de la vente est le « Portrait de Napoléon Bonaparte (1769-1821), Empereur de France en pied, contemplant le buste d'Athéna, une carte du continent dans la main droite au musée Napoléon », attribué à Andréa Appiani.

Cette toile, estimée à environ 180 000 euros, avait été présentée au musée du Louvre, lors de l'exposition « Dominique Vivant-Denon, l'œil de Napoléon », à l'automne 1999.

Mais le souvenir le plus touchant est la chemise en batiste, à manches longues et col droit fermant par un bouton, où figurent quelques petites tâches de rouille et qui fut recueillie le jour de la mort de l'Empereur par le Mameluk Ali (Louis-Étienne Saint Denis), l'un des fidèles domestiques de Napoléon 1er. Elle est estimée à près de 12 000 euros.

Me Osennat, assisté de plusieurs experts, proposera aussi un précieux coffret nécessaire de voyage, ayant appartenu à la comtesse de Montesquiou, gouvernante du Roi de Rome, des lettres signées de Napoléon, de ses aides de camp, ou du grenadier Pils, des bustes en marbre de Carrare, des sabres et épées ou encore un livre de comptes de Napoléon à Sainte-Hélène.

(Pour la petite histoire, le dimanche 10 mars 2002, une personne anonyme a acheté au téléphone la chemise de Napoléon. Elle a été adjugée à 62 000 euros, bien au-delà des 12 000 euros de l'estimation.)

19

Sao Paulo (Reuters) – Un moniteur de culture physique brésilien a accompli 111 000 tractions abdominales en 24 heures, battant ainsi le record du monde du genre, avec une moyenne de 77 abdominaux par minute.

Edward Freitas avait le droit de manger une barre énergétique et de boire du lait de noix de coco chaque heure et de s'arrêter toutes les quatre heures pour aller aux toilettes.

Il a battu le record de l'Américain Bill Evans, homologué par le livre Guinness des records, avec 103 000 abdominaux en 24 heures.

Cette performance mondiale constituait le couronnement de plus d'un an d'entraînement pour Edward Freitas, qui avait déjà battu le record national, puis celui d'Amérique du Sud.

«Je ne ferai plus d'abdominaux pendant deux mois», a-t-il déclaré à la chaîne de télévision Globo.

20

Sydney (Reuters) – Une énorme comète heurtera la Terre le 14 août 2116 et la puissance du choc, supérieure à l'explosion d'un million de bombes nucléaires, pourrait balayer quasiment toute forme de vie, a déclaré dimanche un expert incontesté en astéroïdes.

Cette comète, une masse de glace et de roche de cinq km d'envergure, se déplace à une vitesse telle (60 km/s) qu'une collision de plein fouet risquerait de ramener la planète à l'âge des ténèbres, a expliqué Duncan Steel, de l'Observatoire anglo-australien, lors d'une conférence internationale sur l'espace.

« La puissance de l'impact serait de 20 millions de mégatonnes, soit environ 1,6 million de fois celle de la bombe d'Hiroshima », a-t-il dit.

« Heureusement, nous sommes en sécurité, nos enfants et même nos petits-enfants aussi, mais il semble que nos arrière-petits enfants ne le seront pas», a-t-il ajouté.

L'Union astronomique internationale (IAU), l'autorité mondiale en matière d'astronomie qui a enregistré la découverte de la comète le 15 octobre, n'a pas exclu, pour la première fois depuis qu'elle tient des archives sur ces questions, l'hypothèse d'une collision avec le globe, a révélé Duncan Steel.

Baptisée Smith-Tuttle, cette comète a en fait été redécouverte, ayant été observée pour la première fois en 1862.

Elle est depuis suivie de près par les astronomes, qui ont commencé à calculer l'évolution de sa trajectoire depuis la publication d'une circulaire par l'IAU.

« Il […] semble prudent de suivre la comète à la trace aussi longtemps que possible», a observé Brian Marsden, astronome de l'IAU, dans la circulaire officielle que Duncan Steel avait apportée avec lui.

« Il faut la suivre pendant cinq à six ans pour être sûrs de notre coup. Si elle nous atteint, ce sera le 14 août 2116, car ce jour-là la trajectoire interceptera l'orbite terrestre», a expliqué l'expert australien.

Un tel suivi est nécessaire pour avoir des calculs fiables car les astéroïdes et les comètes accélèrent à l'approche du Soleil et ralentissent à nouveau quand elles repassent dans l'espace interstellaire.

On estime que 300 astéroïdes baladeurs dépassant le kilomètre d'envergure peuvent couper l'orbite terrestre.

« Un objet d'un à deux kilomètres qui frapperait la Terre détruirait au moins 75 % de l'humanité et même probablement 95 % [...] Un impact dans l'océan n'est pas moins destructeur qu'un impact au sol », a-t-il noté.

Une telle catastrophe ne se produit que chaque million d'années, estiment les scientifiques qui accordent un risque de 0,01 à 0,1 % à son déclenchement durant un siècle déterminé.

Une collision de ce genre a peut-être provoqué, il y a 65 millions d'années, la disparition des dinosaures.

En dehors de cette vision apocalyptique, de plus petits objets célestes, de 50 à 100 mètres, posent une menace réelle et plus immédiate.

Les astronomes estiment que l'un d'entre eux frappe la terre tous les 100 ans, générant une énergie de 20 à 100 mégatonnes, supérieure à celle de n'importe quelle bombe nucléaire.

Selon certains astronomes, un astéroïde de 60 mètres a explosé au-dessus de la Sibérie en 1908, dévastant un espace comparable à la ville de New York.

Les scientifiques estiment à 300 000 le nombre d'objets célestes supérieurs à 100 mètres pouvant couper l'orbite terrestre.

21

Belfort, France (AFP) – Armés d'une paire de jumelle, d'un détecteur de métaux et de quelques aimants, deux jeunes Français du Jura (est) ont sillonné inlassablement l'été dernier le désert marocain à bord d'un vieux véhicule tout terrain à la recherche de trophées un peu particuliers, des pierres venues de l'espace.

Ces chasseurs de météorites, qui présentaient leurs plus belles pièces à l'occasion d'un salon de la jeunesse ce week-end à Belfort (est), ont débuté dans les fouilles paléontologiques avant de s'intéresser aux étoiles.

« C'est un créneau porteur, d'autant qu'il n'y a pas de législation sur les météorites », expliquent Bruno Fectay, 27 ans, et Carine Bidaut, 21 ans.

Originaires de la région de Dôle, ils ont fondé l'année dernière dans le canton d'Arinthod leur société baptisée « La mémoire de la Terre ».

En France, les « star hunters » se comptent sur les doigts de la main. Cette profession, née aux États-Unis dans les années soixante-dix, ne nécessite pas de diplômes mais une passion.

Pour cultiver leur amour des étoiles, Bruno a abandonné ses études de même que Carine. Ils se sont formés sur le tas, poussés dans leur investigation par la demande de musées et de centres de recherches internationaux.

Ils sont aujourd'hui notamment en contact avec le Planetaries Studies Fondation de l'Université de Chicago ou encore le Museum d'histoire naturelle du CNRS à Paris.

S'ils ont déjà fouillé un peu partout, en France ou ailleurs, les déserts constituent leurs terrains de chasse favoris. « On y distingue mieux les météorites. Ces pierres sombres se détachent plus facilement sur des zones blanches et planes », explique Bruno.

Leur plus belle prise, c'est « Zegdou », du nom du village marocain près de la frontière algérienne, en zone militaire, où ce bloc de six kilos a été découvert au mois d'août. Actuellement, des morceaux de « Zegdou » se trouvent entre les mains d'éminents spécialistes de la NASA aux États-Unis.

Non loin de Zegdou, les jeunes chasseurs se sont procurés « Béchar », une belle pièce de 42 kilos, grâce aux témoignages de nomades berbères. Deux kilos ont déjà été vendus pour 50 000 F (environ 9000 euros) à des marchands allemands et autrichiens.

Entre les collectionneurs particuliers, les chercheurs en astronomie ou les simples vendeurs, le marché de la météorite se porte bien et ses débouchés sont nombreux. Objet d'étude scientifique, elle se décline aussi en pendentif, montre, lame de couteau ou presse-papier.

Dans un catalogue américain, un vendeur proposait un fragment de 0,3 gramme d'une météorite lunaire très rare pour 50 000 dollars.

« C'est comme posséder un gros diamant, sauf que c'est beaucoup plus rare », observe Bruno, avouant que « ces chiffres font rêver ».

Mais leurs espoirs les plus fous sont loin d'être mercantiles. « L'absolu, ce serait de trouver une météorite portant des traces de microfossiles », dit Carine.

Ce jour-là, les vendeurs d'étoiles seront devenus des chasseurs d'extra-terrestres.

CHAPITRE 3

22

Un Boeing 798 de Wantaï Airlines, avec 275 personnes à bord, s'est écrasé mardi sur une plage de Vornéo, ont annoncé les autorités aéroportuaires.

23

Des milliers de nids de poule, en forme de cratère, parsèment les routes de Vornéo avec l'arrivée du printemps et, même en zigzaguant pour les éviter, les véhicules se retrouvent chez les garagistes qui s'en mettent plein les poches.

24

Le ministère de la Santé de Vornéo a dévoilé jeudi un numéro rouge pour répondre aux questions du public et des médias sur la méningite, dans le but d'éviter l'apparition de la maladie sur l'île.

25

Un Vornéoien de 20 ans, pesant 230 kilos, a glissé dans la baignoire de son appartement où il est resté bouclé 10 jours avant d'être secouru, a-t-on appris dimanche de source policière

26

L'esprit embrumé d'alcool, un Vornéoien a préféré s'ouvrir la gorge avec un tire-bouchon plutôt que d'avouer à son épouse qu'il avait bu l'argent du ménage.

27

Lead à deux-points – Se retrouver après soixante ans et échanger des souvenirs du Klondike : le hasard a vraiment bien fait les choses entre Conrad Doré et Jos Leblanc, deux anciens prospecteurs réunis ce week-end en Yakoutie au congrès de l'Association des aventuriers.

28

Lead à plus d'un deux-points – Profession : chercheurs d'or. Âge : 100 ans. Signe particulier : n'ont pas trouvé une seule pépite. Autre signe particulier : ils n'ont jamais perdu foi en leur bonne étoile et ont prié tous les soirs agenouillés devant un crucifix en invoquant tous les saints.

29

Lead à virgules – Chercheurs d'or malchanceux, propriétaires de mine prospères, chefs de tribu au cœur de lion, trappeurs et chasseurs habillés de peaux de bêtes se sont retrouvés au congrès de l'Association des aventuriers, tenu en Yakoutie ce week-end.

30

Lead à point-virgule – Prier tous les soirs, s'agenouiller devant un crucifix, invoquer tous les saints ; la foi tenace de deux prospecteurs d'or ne leur a pas pour autant permis de trouver ne serait-ce qu'une pépite au Klondike.

31

Lead à point-virgule/deux-points – Deux chercheurs d'or malchanceux ayant prié toute leur vie devant un crucifix pour trouver du métal jaune ; des propriétaires de mine prospères ayant exploité des chefs de tribu au cœur de lion : tout ce beau monde s'est retrouvé au congrès de l'Association des aventuriers, tenu en Yakoutie ce week-end.

32

Lead à points de suspension – Pelles... pioches... pics... cordes... raquettes... revolvers... bibles... crucifix... chapelets... des piles de souvenirs pour les retrouvailles de deux vieux prospecteurs d'or du Klondike, Conrad Doré et Jos Leblanc, réunis pour la première fois depuis soixante ans à l'occasion du congrès de l'Association des aventuriers tenu en Yakoutie ce week-end.

33

Lead à citation directe – « Le seul or qu'on ait jamais vu, c'était au bureau de l'évaluateur », a déclaré Jos Leblanc, un prospecteur du Klondike ayant passé dix ans de sa vie à chercher des pépites dans la neige et le froid.

34

Lead à citation indirecte – Jos Leblanc, un prospecteur du Klondike, a déclaré avoir passé dix ans de sa vie à chercher de l'or dans la neige et le froid sans avoir jamais trouvé une seule pépite.

35

Lead dialogué – « Le seul or qu'on ait jamais vu, c'était au bureau de l'évaluateur.

— « Nous priions tous les soirs agenouillés devant le crucifix, en invoquant tous les saints.

— « Avec tous nos péchés, je ne m'étonne pas que nous n'ayons jamais été exaucés. »

Deux vieux prospecteurs du Klondike, âgés l'un et l'autre de cent ans, et n'ayant jamais vu une seule pépite en dehors du bureau de l'évaluateur, se sont rencontrés pour la première fois depuis soixante ans, à l'occasion du congrès de l'Association des aventuriers, tenu en Yakoutie, ce week-end.

36

Lead question – Qu'ont fait deux chercheurs du Klondike pour trouver de l'or ?

Ils s'agenouillaient et priaient tous les soirs avec leurs chapelets devant un crucifix.

37

Lead un, deux, trois, quatre – Le congrès de l'Association des aventuriers réuni ce week-end en Yakoutie a adopté les mesures suivantes :
• extirper les mines antipersonnel de tous les parcs nationaux de la planète ;
• démolir la tour d'observation de pingouins située à l'entrée de l'Antarctique ;
• interdire le tourisme écologique en Amazonie ;
• construire un immense mur autour du désert de Gobi afin d'empêcher tout rallye automobile.

38

Lead condensé – En vue de protéger l'environnement planétaire, le congrès de l'Association des aventuriers, réuni ce week-end en Yakoutie, a adopté des mesures pour extirper les mines antipersonnel de tous les parcs nationaux de la planète ; démolir la tour d'observation de pingouins située à l'entrée de l'Antarctique ; interdire le tourisme écologique en Amazonie ; et construire un immense mur autour du désert de Gobi afin d'empêcher tout rallye automobile.

39

Lead à contraste – Conrad Doré, un chercheur d'or du Klondike, a pris sa retraite après avoir travaillé un demi-siècle pour l'Armée du Salut.

40

Lead en apostrophe – Si vous rêvez à tout l'or du Klondike et aux cabanes de bois rond perdues sous dix mètres de neige, alors venez vite écouter le récit de vieux prospecteurs présents au congrès de l'Association des aventuriers, réunis ce week-end en Yakoutie.

41

Lead descriptif – Dans un pays où les blancs flocons tombent tous les jours, où le café gèle dans les tasses en trois minutes, deux prospecteurs venus de Saint-Glingin cherchent depuis dix ans de l'or en vivant dans une cabane de bois rond perdue sous dix mètres de neige.

42

Lead léger ou parodique – La poule aux œufs d'or se trouvait dans leurs fermes de Saint-Glinglin mais Conrad Doré et Jos Leblanc ont préféré se ruer sur le Klondike où les seules pépites valant leur pesant d'or étaient déjà entre les mains d'un arpenteur.

43

Lead négatif – Deux prospecteurs du Klondike n'ont jamais perdu la foi, ils n'ont même jamais cessé de prier devant un crucifix pour trouver de l'or, mais voilà, ils ont passé non pas un mais dix hivers sans voir une seule pépite.

44

Lead des «pas» – Pas une seule pépite d'or, pas un seul soir sans prier, pas un seul jour sans neiger, pas un seul bon café à la ronde ; pendant dix ans, la vie de deux prospecteurs du Klondike a été un véritable enfer.

45

Lead à clause conditionnelle – Deux fermiers de Saint-Glinglin pourraient devenir riches en allant au Klondike où il faudrait tout simplement se baisser pour ramasser de l'or à la pelle.

46

Lead à l'infinif – Trouver de l'or dans la neige et le froid du Klondike, tel a été pendant dix ans le rêve de deux prospecteurs ayant quitté leurs fermes de Saint-Glinglin en 1898.

47

Lead à chiffres – Dans un pays où il faisait si froid que le café gelait dans les tasses en cinq minutes, deux prospecteurs du Klondike se sont installés dans une cabane de bois rond perdue sous dix mètres de neige avec dix pelles et cinq pioches, neuf pics et douze cordes, quatre paires de raquettes et douze revolvers, deux bibles, un crucifix et deux chapelets.

48

Lead des «il y a ceux qui» – Il y a ceux qui en cherchent toute leur vie, ceux qui en trouvent très vite, ceux qui prient pour en trouver et ceux qui finissent à l'Armée du Salut sans avoir vu une seule pépite d'or.

49

Lead des «pour» – Pour trouver de l'or dans la neige et le froid, pour continuer à avoir foi en leur bonne étoile, pour se faire pardonner tous leurs péchés, deux vieux prospecteurs du Klondike ont prié pendant dix ans agenouillés devant un crucifix.

50

Lead des « on a beau être » – On a beau être un ancien prospecteur du Klondike, on a beau avoir cherché de l'or pendant dix ans, on a beau prier tous les soirs agenouillé devant un crucifix, on a beau avoir foi en sa bonne étoile, on peut très bien s'appeler Conrad Doré et finir à l'Armée du Salut.

CHAPITRE 4

51

Depuis son « apparition » dans une pièce de théâtre de l'auteur tchèque Karel Capek (1890-1938), le robot a toujours été présenté, notamment dans les romans de science-fiction, à l'image de l'homme.

Sublead : Mais, malgré de multiples tentatives, nous n'avons jamais réussi à lui donner une réelle apparence humaine. Certes, en privilégiant l'imitation des fonctions de certaines parties du corps comme les mains, des robots à usage industriel répétant les mêmes gestes que ceux des ouvriers sur les chaînes de fabrication ont été créés dans les années 1960.

52

Le maire de Tombouctou, Ibrahim Idris, *élu* il y a 55 ans, a été mortellement poignardé en état d'ébriété par un membre de sa famille lui reprochant de ne pas vouloir construire un complexe hôtelier en bordure d'une palmeraie.

53

Le maire de Tombouctou, Ibrahim Idris, *au pouvoir* depuis 55 ans, a été mortellement poignardé en état d'ébriété par un membre de sa famille lui reprochant de *vouloir plus d'argent* pour construire un complexe hôtelier en bordure d'une palmeraie.

54

Ibrahim Idris, le *maire-dictateur* de Tombouctou depuis 55 ans, a été poignardé à mort en plein *delirium tremens* par un membre de sa famille ne lui pardonnant pas de se montrer *trop gourmand* pour construire un complexe hôtelier en bordure d'une palmeraie.

55

La grippe espagnole, avec ses vingt millions de morts en 1918 et 1919, a été la pire épidémie infectieuse mondiale de l'Histoire mais portait mal son nom car elle a été introduite par les militaires américains venus prêter main-forte au Vieux Continent.

56

Voici une nouvelle loin d'être bonne : le tabac reste dangereux même en fumant des cigarettes légères.

57

Il avait la couleur d'un bourgogne, il se présentait dans une bouteille de bourgogne et portait l'étiquette d'un bourgogne, mais il était aussi râpeux qu'une vieille lime à ongles : c'était un petit vin de table sans intérêt.

58

Malgré les sérieux défauts de son optique, le télescope spatial Iris a fourni aux scientifiques une vue détaillée du cerveau d'une fourmi d'Alpha du Centaure, l'étoile la plus proche de notre système solaire.

59

Un bénédictin, qualifié de « héros » par le maire Jean de Grossville pour son dévouement auprès des jeunes fugueurs, a été pris sur le fait par la police de la métropole où il est accusé d'avances sexuelles à l'endroit de ses protégés.

60

Les frais universitaires grimperont l'an prochain de 6000 %, majorant d'environ 3575 % la facture annuelle des étudiants, a annoncé mercredi le ministre de l'Enseignement supérieur et de la Science, M. Ardoise Babillard.

CHAPITRE 5

61

Il fut un temps, *pas si lointain,* où le *grand public* voyait les journalistes comme de *sympathiques Tintin bourlinguant* à travers le *monde* en affrontant toutes sortes de *dangers* pour y dénoncer les *injustices* criardes.

62

L'*épave* du bateau de *Barbe-Violette,* pirate dont la *poitrine velue* était toujours cerclée de *pistolets,* a été retrouvée hier dans les *eaux profondes* du *Triangle des Bermudes* avec toute une *cargaison d'or.*

63

Le roi n'est pas encore mort, selon certaines *rumeurs,* mais « *Vive le roi!* » : depuis *quelques jours* une trentaine de *princes* du Wantaï sont en *conclave* pour trouver un *successeur* au *vieux* Boumbadoum – victime, disent plusieurs *sources médicales,* d'une *embolie cérébrale.*

64

Flash – Léon-Paul IV a été assassiné.

65

Bulletin – Léon-Paul IV a été assassiné dimanche dans sa baignoire peu après avoir célébré la messe à Castel Gandolfo, a annoncé une source sûre à la résidence d'été du pape.

66

Urgent – Léon-Paul IV est mort dimanche dans sa baignoire des suites de douze coups de poignard, peu après avoir célébré la messe à Castel Gandolfo, a annoncé une source sûre à la résidence d'été du souverain pontife.

67

Bio-express – Le pape Léon-Paul IV, assassiné dimanche dans sa baignoire à Castel Gandolfo, à l'âge de 115 ans, a inauguré son pontificat il y a 55 ans en acceptant le mariage des prêtres mais s'est montré par la suite très conservateur en refusant à l'Église d'« épouser » les réalités du monde moderne.

68

A – Grâce à l'emploi de deux mots, « *douze salopards* », le lead de l'AFP est plus coloré, frappe donc plus l'imaginaire que celui de l'AP qui contient cependant (en deux phrases!) une information de plus : *tensions persistantes entre les États-Unis et l'Europe.*

B – Les deux agences livrent ici la même information.

C – Si l'AP ne nous a pas parlé des « douze salopards » dans le lead, l'agence se reprend ici en nous citant quelques-uns de ces produits toxiques et en nous rappelant que *ces substances toxiques peuvent provoquer des anomalies congénitales, le cancer et d'autres problèmes chez l'homme et l'animal.* Quand entrera en vigueur le traité ? Seule l'AFP nous le dit : *lorsqu'il aura été ratifié par au moins cinquante États.*

D – L'AP enchaîne avec une citation du premier ministre dont le prénom (Goran) s'épelle différemment que dans la dépêche de l'AFP (Goeran). Cette agence nous parle du Canada (contrairement à l'AP) et nous rappelle que les *douze salopards « ne sont plus produits dans la majorité des pays développés, ce qui explique l'empressement de Washington à signer le traité ».* Voilà un fait qui fait office de commentaire!

E – L'agence française cite le premier ministre Persson pendant que l'américaine rapporte déjà la critique du ministre suédois de l'Environnement en ce qui concerne le *désengagement américain à l'égard de Kyoto, destiné à lutter contre le réchauffement climatique.* L'AP nous rappelle que Bush avait rejeté le Protocole de Kyoto. L'AFP nous l'avait déjà annoncé au paragraphe d.

CHAPITRE 6

69

La scène glace le sang. Une jeune femme, assise sur une chaise droite, pleure doucement. Dans le coin gauche, la main d'un homme.

Il tient un revolver qu'il pose sur la tempe de la femme. Terrifiée, la femme baisse les yeux. Le doigt sur la gâchette, l'homme tire. La tête de la femme bascule vers l'arrière. Le mur est aspergé de sang.

La scène captée par une caméra vidéo s'est retrouvée récemment dans l'ordinateur personnel d'un Montréalais. La séquence est si réaliste qu'il a appelé la police croyant qu'il s'agissait d'un meurtre. L'escouade de la division des crimes technologiques de la Gendarmerie royale du Canada n'a pas hésité en visionnant le clip vidéo, elle a confié la séquence à son laboratoire d'expertise. Conclusion : la scène avait été montée de toutes pièces.

(*La Presse*, 17 janvier 2002)

70

Le premier jour, je caille. Au deuxième, on me démoule. À deux semaines, je mousse. Au bout d'un mois, mon fumet incommode les narines prétendument délicates. Qui suis-je ? Le camembert, orgueil de la Normandie, où l'on n'hésite pas à prétendre que je fleure « comme les pieds du bon Dieu ». Las ! Mon règne prend l'eau. Certains disent que je coule – c'est malin.

Même si sept Français sur dix en consomment au moins une fois tous les quinze jours, nos concitoyens délaisseraient le camembert, symbole hexagonal indissociable du béret, de la baguette et du kil de rouge.

(*L'Express*, 27 décembre 2001-2 janvier 2002)

71

Pour Shirley Howard, l'erreur médicale respire, elle a fêté hier son troisième anniversaire et se prénomme Kimberly.

Mme Howard, 26 ans, a déposé hier une poursuite qui donne à l'erreur de diagnostic une dimension insoupçonnée. La jeune mère involontaire exige 96 000 $ de deux médecins qui n'ont pas su détecter sa grossesse lors de cinq consultations différentes.

(Brian Myles, *Le Devoir*, 8 janvier 2002)

72

Oubliez ce qu'on vous a dit jusqu'à présent, le dollar canadien sera allemand bien avant d'être américain.

La Banque du Canada aurait en effet décidé d'acheter désormais son papier-monnaie en Allemagne plutôt qu'au Québec.

(Éric Desrosiers, *Le Devoir*, 28 février 2002)

73

Travailler lorsqu'on a atteint l'âge d'or, c'est être au septième ciel. John Herschel Glenn Jr, le plus vieil astronaute de tous les temps, y était et, après avoir séjourné un peu plus de huit jours dans l'espace, il a offert ce petit conseil aux trente-cinq millions d'Américains ayant comme lui dépassé l'âge de la retraite : « Ne restez pas allongés sur le sofa ! »

74

Cinq femmes, trente-deux enfants : Tom Green a semé à tout vent. Il a aussi récolté cinq ans de prison. Le premier polygame condamné depuis un demi-siècle aux États-Unis croit dur comme fer avoir été sacrifié sur l'autel des Jeux olympiques de Salt Lake City, pour ne pas ternir la réputation de l'Utah.

75

Salt Lake City – Au pied des monts Wasatch, non loin du lac le plus salé des États-Unis, sur une immense plaine désertique, grandit au milieu d'une ville tranquille un tramway nommé « light rail ».

76

Depuis une dizaine d'années, Salt Lake City fait partie des dix agglomérations américaines ayant les plus forts taux de croissance économique et, bien sûr, la voiture est la grande gagnante de l'étalement urbain déroulant à tombeau ouvert son béton dans l'ancien Ouest sauvage.

77

S'il existe un chaton souple et vorace caressant le rêve de jouer dans le jardin des tigres du Sud-Est asiatique, c'est bien le Vietnam.

78

Sous un soleil d'enfer coincé entre des collines verdoyantes, trottinent quelques brebis surveillées par un vieux berger marchant le long d'une piste poussiéreuse où des camions partis de nulle part foncent à toute allure vers Youpa, un trou de 3000 habitants au pied de la Cordillère des Andes.

79

Tintin n'a jamais mis les pieds au Soudan et pourtant le plus vaste pays d'Afrique est une terre d'aventures où l'intrépide reporter à la houppe blonde aurait enfin pu écrire son premier « papier ».

80

Pétaradant à tout vent à quelques centimètres de trottoirs truffés de soupes ambulantes, de petits vendeurs, de cireurs et de mendiants, les motos de Saïgon pullulent au milieu d'une pollution à couper au couteau.

81

La mer qu'on voit danser le long des golfes clairs : c'est en fredonnant la célèbre chanson de Charles Trenet que l'on prend le large en voilier ou en planche à voile, en faisant, heureux comme Ulysse, un beau voyage en Méditerranée.

À l'approche de l'été, la maison de distribution Mondia nous offre en effet trois ouvrages portant sur un thème marin.

« Les grands voiliers » jette l'ancre sur l'histoire et l'évolution des techniques de navigation maritime. Œuvre conjointe de plusieurs spécialistes internationaux, ce livre comporte plus de 400 schémas, dont 180 en couleurs, illustrant l'histoire de la conquête des mers.

Une fois en mer, il faudra faire escale. Mais où ? Pourquoi pas en Méditerranée ?

« Le Guide des 200 plus belles escales de Méditerranée », d'Ély Boissin, trace un itinéraire enchanteur et propose aux navigateurs les plus belles escales de France, de Grèce, d'Italie, d'Espagne, de Tunisie et de Turquie.

Enfin, dans un registre plus modeste, Robert Farrugia nous propose les notions de bases d'une activité sportive et maritime de plus en plus populaire, avec « Découvrir la planche à voile ».

L'ouvrage s'adresse aux débutants et traite tant d'apprentissage que de technique : voile, gréement, flotteur, centre vélique notamment.

Ce n'est donc pas la mer à boire que de plonger dans ces trois ouvrages écrits par de vieux loups de mer.

CHAPITRE 7

82

Abraham Lincoln est mort le 15 avril 1865 après avoir été blessé à la nuque la veille à Washington par un acteur : le président des États-Unis et son épouse assistaient alors à la représentation de « Notre cousin américain », une comédie britannique excentrique.

John Wilkes Booth, un acteur connu farouche partisan des sudistes, aurait agi de son propre chef. Il court toujours. Armé d'un Derringer, il s'est glissé dans la loge présidentielle au moment où le policier chargé de surveiller Lincoln buvait un verre dehors.

Booth avait assisté peu auparavant en spectateur à un discours du président du haut d'un balcon de la Maison-Blanche. Lincoln avait évoqué son projet d'accorder le droit de vote aux Noirs sachant lire et écrire.

Il avait alors dit à un ami : « Ça veut dire la citoyenneté pour les nègres. Eh bien, à présent nom de Dieu, je vais lui faire son affaire. C'est bien le dernier discours qu'il prononcera. »

L'élection de Lincoln le 4 mars 1861 a marqué le début de la guerre de Sécession qui a fait 620 000 victimes et s'est terminée par la victoire du Nord industriel sur le Sud agricole.

Lincoln a préservé et fortifié la démocratie américaine avec notamment l'émancipation des Noirs du Sud le 1er janvier 1863.

« Abraham 1er l'Africain », comme on l'appelait dans le Sud esclavagiste où vivent 42 % des Américains ne détenant cependant que 18 % des capacités de production du pays, est né dans une cabane de rondins, le 12 février 1809, dans le Kentucky.

Grand, dégingandé, laid et sujet à de fréquents accès de mélancolie, Lincoln – un autodidacte boulimique – est admis à 28 ans au barreau de l'Illinois après avoir fait mille métiers, dont celui de garçon meunier et de receveur des postes.

Le futur président est connu pour ses joutes oratoires et les républicains le choisissent pour l'élection présidentielle de 1860. La victoire de ce « républicain noir » prônant « l'amour libre » et se battant pour le « nègre libre », comme le prétendait un slogan, provoque la déflagration attendue.

Le 20 décembre 1860, la Caroline du Sud fait sécession, suivie de douze autres États. La guerre civile a commencé et, avec elle, le calvaire de Lincoln.

C'est le 19 novembre 1863 qu'il prononce son plus fameux et plus bref discours (deux minutes, 272 mots). Par anticipation, ce fut certes son testament politique.

« C'est [...] à nous de nous consacrer [...] à la grande tâche qui nous reste [...] pour que cette nation sous les yeux de Dieu, vive une nouvelle naissance de la liberté – et pour que le gouvernement du peuple, par le peuple, pour le peuple, ne disparaisse pas de la terre. »

83

Les Mongoriens ont appris avec étonnement au début de cette année que leur président pendant plus de trente-huit ans était un fervent adepte du spiritisme et se croyait guidé politiquement par une « main providentielle ».

84

La capitale de Vornéo est un « relais de prédilection » du trafic international des drogues dures sur le continent asiatique, a révélé aux téléspectateurs de ce pays un mafioso masqué d'une cagoule blanche.

85

À voix basse, sous les huées et sarcasmes de la classe, un nouvel élève à qui le professeur demanda de se nommer se leva, se rassit, se leva de nouveau et articula d'une voix inintelligible : Charbovari.

86

Des généraux assyriens ont décidé au commencement de l'année 870 d'envoyer des troupes conquérir la Phénicie, une nation en paix depuis presque trois siècles et faisant le négoce du verre, du bois de cèdre, des armes, du fer et de l'ivoire.

87

Une manifestation spectaculaire de 12 000 éboueurs et de leurs familles a incité hier le conseil de ville de Détritus à réclamer l'aide du ministre du Travail, M. Pierre Arôme, pour mettre fin à leur grève de deux semaines.

ou :

Une intervention bruyante des éboueurs de Détritus, interrompant une séance du conseil de ville, a incité hier la ville à faire appel au ministre du Travail, M. Pierre Arôme, pour mettre fin à la grève paralysant le service sanitaire depuis deux semaines.

ou encore :

Le conseil de ville de Détritus a réclamé hier l'aide du ministre du Travail, M. Pierre Arôme, pour mettre fin au débrayage des éboueurs en grève depuis deux semaines.

88

Le président de Youkitie, Igor Mohmek, a annoncé lundi soir l'envoi par son pays d'un premier contingent de 4000 hommes au Tangzibar « pour libérer le peuple » des « terroristes sanguinaires » au pouvoir dans cet État depuis deux ans.

ou

La Youkitie enverra un premier contingent de 4000 hommes au Tangzibar « pour libérer le peuple » des « terroristes sanguinaires » au pouvoir dans ce pays depuis deux ans, a annoncé lundi soir le président Igor Mohmek.

89

L'autobus urbain est moins confortable certes, mais il provoque moins de morts que l'avion ou la voiture, selon le National Safety Council américain.

90

Ottawa – Dans le pétrin après avoir été accusé mercredi par un ancien haut fonctionnaire de favoritisme et d'ingérence dans la gestion d'une société d'État, le ministre des Travaux publics, Alfonso Gagliano, est sorti de son mutisme hier en affirmant n'avoir rien fait d'illégal.

(*La Presse*, 11 janvier 2002)

91

L'un n'a peur de rien, l'autre est insomniaque, le troisième endort le « bon peuple » : l'actualité ne fait certes aucune pause mais elle scintille sous des feux différents au *El Espectador* de Bogota, à l'*Asahi Simbun* de Tokyo et au *Quotidien du peuple* de Pékin.

92

Libéré sous caution, un prisonnier en état d'ébriété a brûlé un feu rouge et gravement blessé une octogénaire sortant du stade de Tombouctou où elle avait gagné tous ses paris aux combats de coqs.

ou

Une octogénaire sortant du stade de Tombouctou où elle avait gagné tous ses paris aux combats de coqs a été gravement blessée quand un prisonnier en état d'ébriété, libéré sous caution, a foncé à tombeau ouvert sur elle après avoir brûlé un feu rouge.

B

QUELQUES LEADS
D'ICI ET D'AILLEURS

Vingt-trois journalistes (présentés par ordre alphabétique) ont choisi pour vous leurs meilleurs leads en une ou plusieurs phrases. Nous les en remercions. Nous avons préféré ne pas traduire les leads en anglais.

Cinquante ans après que les femmes ont acquis le droit de vote, le féminisme québécois vit à l'heure de la lambada, cette sensuelle danse brésilienne qui force les couples à harmoniser leur pas.

(Carole Beaulieu, L'actualité, 15 juin 1990)

Le cours du drapeau canadien est monté en flèche hier, dans les rues du centre-ville de Montréal : de tous les bars des environs, dans un concert de klaxons et dans une atmosphère imbibée de houblon, une foule d'amateurs brandissant l'unifolié ont déferlé sur les grandes artères de la fête, peu après la victoire de l'équipe du Canada.

(Karim Benessaieh, La Presse, 25 février 2002)

Alors même que la chirurgie plastique permettait déjà de modifier seins, nez et oreilles à volonté, des milliers d'Asiatiques ont recours à cette science pour transformer une caractéristique inhérente à leur origine : ils font arrondir leurs yeux bridés.

(Maxime Bergeron, Montréal Campus, 11 octobre 2001)

La majorité des entreprises du secteur des hautes technologies n'est pas sortie de l'auberge et leurs dirigeants et actionnaires devront encore manger leur pain noir pendant au moins la moitié de l'année 2002.

(Alain Bisson, Le Journal de Montréal, 29 décembre 2001)

Située au cœur de l'Ouzbékistan, la vallée de Fergana déborde largement sur les territoires tadjiks et kirghiz. Territoire islamique maintenu sous haute surveillance, elle cristallise toutes les tensions de l'Asie centrale.

(Alexandre Charlier, Le Soir, Bruxelles, 5 mars 2002)

À l'âge où la plupart des enfants fréquentent l'école, d'autres font leurs classes au sein de groupes armés. Ils ont un professeur (le commandant), un terrain de jeux (le champ de bataille) et des joujoux (des AK-47). Leur devoir : tuer.

(Tommy Chouinard, Voir, 20 janvier 2000)

Un instant, son visage s'est figé. Tendu, vibrant de fierté et de colère rentrée, l'élu si blanc de peau, mais nègre de toute son âme, a durci son regard et dessiné sur ses lèvres un sourire de dédain. Puis, le timbre haut, le phrasé solennel, il a tonné : « Non, Madame, nous ne célébrons pas l'abolition de l'esclavage ! Nous commémorons l'insurrection antiesclavagiste. C'est différent !... »

(Annick Cojean, Le Monde, 25 avril 1998)

Lorsque tout fout le camp, lorsque les sondages confondent et que New York, cette chienne ingrate, mord la main de son maître, il arrive à Rudy Giuliani, monsieur le Maire, de revisiter ses ambitions et de reconnaître ses torts. Le tort d'avoir trop raison dans un monde aveuglé par l'erreur, le tort d'avoir cru gagnées mille batailles contre mille forces du mal.

(Philippe Coste, L'Express, 9 septembre 1999)

Une tragédie sans nom, inimaginable, épouvantable au delà de tout entendement, a frappé hier les États-Unis en plein cœur alors que des attentats terroristes a répétition ont touché New York et Washington, entraînant dans la mort des milliers et des milliers de personnes et déclenchant une vague de fond d'horreur, de psychose, voire de panique, d'incrédulité et de réprobation tant chez les Américains qu'à travers le monde.

(Jean Dion, Le Devoir, 12 septembre 2001)

Ronald Reagan a un petit frère ! Il est né dans la nuit de mardi à mercredi au Canada. C'est un garçon de 45 ans, d'ascendance irlandaise comme lui, conservateur comme lui, militariste comme lui. Il s'appelle Brian Mulroney et dans quelques jours il deviendra le 18e premier ministre du Canada. Sa couleur est bien sûr le bleu et son poids politique est de 211 députés. Autant dire qu'il se porte bien.

(Alain Gerbier, Libération, 6 septembre 1984)

His name was David Landry, he was 26, and he was trying to quit smoking. But in the end it was his life, not just his habit, that got snuffed out.

(Jeff Heinrich, The Gazette, 26 février 2001)

Nam Bac is a speck on the map of Laos no bigger than a Communist commander's pencil point.

(John Hughes, Prix Pulitzer 1966,
Christian Science Monitor, Boston, 22 janvier 1968)

Once upon a time, men were treated like indulged children in the house, as women bustled about cleaning, sweeping, cooking. That was fifty years ago, some men say. That was this morning, some women say.

(Dirk Johnson, Newsweek, 25 mars 2002)

In life, Rodolfo Ruiz Rincon walked the streets of Colima wrapped in fine clothes and mystery. In death, he is still something of an enigma. But his legacy is all too well known. It includes two bigamous marriages, one broken heart, an illegitimate son, a docketful of lawsuits and a flood of gossip which is lapping at the door of Mexican President Miguel de la Madrid Hurtado.

(Paul Knox, *Globe and Mail*, 17 février 1987)

Nouvelle Air Ivoire. Sauf difficultés de dernière minute, le bruit des nouveaux avions de la compagnie se fera entendre dans une dizaine de jours.

(Léon-Francis Lebry, *Fraternité-Matin*, Abidjan, 20 mars 2002)

Un détenu menotté dans le dos a réussi à fausser compagnie à deux agents de la GRC de Granby en leur piquant... leur propre véhicule.

(Brigitte McCann, *La Voix de l'Est*, 31 octobre 2001)

It was a safe bet that American Airlines Flight 11, a Boeing 767, would leave Boston's Logan International Airport on time for its early morning trip for Los Angeles.

(Charles A. Madigan, *The Chicago Tribune*, 12 septembre 2001)

Plus de 400 passionnés de la langue française affûtent leurs plumes pour samedi prochain, en vue de la demi-finale de la Dictée des Amériques, qui fera le tri entre les bons... et les meilleurs.

(Mylène Moisan, *Le Soleil*, 10 janvier 2002)

Ils sont partout ou presque. On peut les apercevoir dans les restaurants du « quartier européen », au siège de la Commission européenne et même à la cafétéria du Parlement européen ! Bruxelles, capitale de l'Europe, vit un « lobbyboom », mais sans la transparence relative que l'on retrouve à Ottawa ou à Washington, et bientôt à Québec.

(François Normand, *Les Affaires*, 23 mars 2002)

Deux secondes après que le jury numéro onze eut prononcé un verdict de non culpabilité à l'endroit de Maurice « Mom » Boucher, hier à 15 h, le cri de victoire poussé d'un seul coup par une cinquantaine de motards qui attendaient dans le corridor du palais de justice a retenti comme un gong dans la salle d'audiences.

(Rollande Parent, *Presse Canadienne*, 27 novembre 1998)

An unemployed man searching for scrap aluminium on a backroad near Lake Stanley Draper moved a carpet scrap and found Oklahoma City kidnap victim Melissa Diane Smith Friday afternoon: she was dirty, cold and hungry but very much alive.

(Andy Rieger, Norman Transcript, Oklahoma, 1979)

Les deux mains dans la terre sur une ferme biologique, des jeunes en difficultés cultivent le meilleur en eux et grandissent au rythme de la nature et de leurs accomplissements personnels.

(Anne-Marie Savoie, Le Courrier de Laval, 20 mai 2001)

Some Manhattan nightclubs have hired private ambulance companies to wait outside and to swiftly take revelers who overdose on drugs to hospital emergency rooms, bypassing the 911 system and the attention of the police.

(Jennifer Steinhauer, New York Times, 20 avril 2001)

AGMV Marquis

MEMBRE DE SCABRINI MEDIA

Québec, Canada
2002